CRÍTICA DO PROGRAMA DE GOTHA

Karl Marx

CRÍTICA DO PROGRAMA DE GOTHA

Seleção, tradução e notas

Rubens Enderle

Prefácio à edição brasileira

Michael Löwy

Traduzido dos originais em alemão: Karl Marx, *Kritik des Gothaer Programms*, em Karl Marx/Friedrich Engels, *Gesamtausgabe* (MEGA, I/25, Berlim, Dietz, 1985, p. 3-25); Karl Marx, *Kritik des Gothaer Programms. Mit Schriften und Briefen von Marx, Engels und Lenin zu den Programmen der Deutschen Sozialdemokratie* (2. ed., Berlim, Dietz, 1955); Karl Marx/Friedrich Engels, *Briefe*, em *Werke* (MEW, 5. ed., Berlim, Dietz, 1973), v. 18, p. 625-39; Karl Marx, *Konspekt von Bakunins Buch „Staatlichkeit und Anarchie*, em Karl Marx/Friedrich Engels, *Editionsgrundsätze und Probestücke* (MEGA, Berlim, Dietz, 1972, p. 370-80, 689-93); *Protokoll des Vereinigungscongresses der Sozialdemokraten Deutschlands zu Gotha vom 22 bis 27. Mai 1875*, em *Protokolle der sozialdemokratischen Arbeiterpartei* (Glashütten/ Bonn, Detlev Auvermann/ Neue Gesellschaft, 1971, v. 2, p. 5-41); Karl Marx, *General Rules of the International Working Men's Association*, em Karl Marx/Friedrich Engels, *Gesamtausgabe* (MEGA, I/22, Berlim, Dietz, 1978, p. 365-7).

Coordenação editorial Ivana Jinkings
Editora-adjunta Bibiana Leme
Assistência editorial Livia Campos
Tradução Rubens Enderle
Preparação Mariana Echalar
Revisão Mônica Santos
Diagramação e capa Acqua Estúdio Gráfico
(sobre ilustração de Cássio Loredano)
ilustração da p. 2, Library of Congress, LC-USZ62-16530
Coordenação de produção Livia Campos
Assistência de produção Isabella Teixeira

CIP-BRASIL. CATALOGAÇÃO-NA-FONTE
SINDICATO NACIONAL DOS EDITORES DE LIVROS, RJ

M355c

Marx, Karl, 1818-1883
Crítica do Programa de Gotha / Karl Marx ; seleção, tradução e notas Rubens Enderle. - São Paulo : Boitempo, 2012.
(Coleção Marx-Engels)

ISBN 978-85-7559-189-5

1. Sozialdemokratische Partei Deutschlands. 2. Socialismo - Alemanha. 3. Comunismo. I. Título. II. Série.

11-8390. CDD: 335.422
CDU: 330.85

1ª edição: janeiro de 2012;
1ª reimpressão: agosto de 2014; 2ª reimpressão: abril de 2016;
3ª reimpressão: abril de 2019; 4ª reimpressão: março de 2020;
5ª reimpressão: outubro de 2020; 6ª reimpressão: maio de 2021;
7ª reimpressão: outubro de 2023

BOITEMPO
Jinkings Editores Associados Ltda.
Rua Pereira Leite, 373
05442-000 São Paulo SP
Tel.: (11) 3875-7250 / 3875-7285
editor@boitempoeditorial.com.br
boitempoeditorial.com.br | blogdaboitempo.com.br
facebook.com/boitempo | twitter.com/editoraboitempo
youtube.com/tvboitempo | instagram.com/boitempo

SUMÁRIO

NOTA DA EDITORA

Escrita em 1875, em Londres, *Crítica do Programa de Gotha* consiste em um conjunto de notas de Marx ao texto do projeto de unificação dos partidos socialistas alemães numa única agremiação operária. Nas suas observações – desordenadas às vezes, tendo como base um documento (o Programa de Gotha) que já não era muito claro –, Marx denuncia um recuo liberal na plataforma, que seria apresentada em maio desse mesmo ano na cidade de Gotha, e a submissão dos socialistas revolucionários aos "revisionistas" lassallianos. Considera o escrito uma mera repetição do que qualquer democrata republicano diria sobre seus objetivos políticos, sem nenhuma referência à sociedade comunista prevista por ele e Engels.

Nesse texto, que se tornou fonte obrigatória aos estudiosos do materialismo dialético, Marx desenvolveu teses fundamentais como a teoria do Estado, da revolução e do partido da classe operária. Foi uma das raras ocasiões em que ele de fato pensou o socialismo. Segundo Ernest Mandel, é a *Crítica...* que fundamenta uma teoria marxista do socialismo, como a socialização de grande parte do produto excedente, uma sociedade de produtores livremente associados[1].

O presente volume compõe-se dessas "Glosas marginais ao programa do Partido Operário Alemão", de Marx, acrescidas do prefácio de Engels à sua primeira publicação, em 1891, e do esboço do Programa de Gotha até sua formulação final. Entre o material incluído encontram-se ainda diversas cartas de Marx e Engels, que esclarecem

[1] Ernest Mandel, *Power and Money: a Marxist Theory of Bureaucracy* (Londres, Verso, 1992).

o significado da controvérsia, além de um documento raro e de grande valor para estudiosos do marxismo – as "Atas do Congresso de Gotha" – e de comentários de Marx ao escrito polêmico de Mikhail Bakunin, *Estatismo e anarquia* (1874)[2].

Esta publicação dá sequência ao projeto da Boitempo de traduzir as obras de Karl Marx e Friedrich Engels, contando com o auxílio de tradutores e especialistas renomados e sempre com base nas obras originais (ver relação dos textos que serviram de base a esta edição na página 4). Os critérios editoriais seguem, no geral, os da coleção dos dois filósofos alemães, tendo sido adotadas algumas convenções adicionais, como: negrito para indicar as passagens substituídas por Engels na edição de 1891 (ver nota na página 18) e para diferenciar as palavras escritas por Marx em russo em seus comentários sobre o texto de Bakunin, mas traduzidas pela edição alemã (ver explicações adicionais do tradutor, Rubens Enderle, na nota da página 105); e colchetes para destacar as inserções do tradutor ou da editora nos textos originais, como a tradução de termos escritos por Marx em outras línguas que não o alemão ou a complementação de nomes antes indicados apenas pelas iniciais (por exemplo, "B[akunin]"). Nos textos de Marx e Engels, as notas com numeração contínua são da edição alemã; as notas com asteriscos são do tradutor quando aparecem junto com "(N. T.)" e da edição brasileira quando com "(N. E.)". Os trechos com comentários entre parênteses em citações são do próprio Marx.

Crítica do Programa de Gotha vem precedida de uma apresentação do sociólogo Michael Löwy, que contextualiza a obra no debate da época e explica sua atualidade e pertinência. Esta edição traz ainda um índice onomástico das personagens citadas e uma relação dos periódicos mencionados, além da cronologia resumida de Marx e Engels – que contém aspectos fundamentais da vida pessoal, da militância política e da obra teórica de ambos –, com informações úteis ao leitor, iniciado ou não na obra marxiana. A ilustração de capa deste 13º volume da coleção Marx-Engels é de Cássio Loredano. Para conhecer os lançamentos anteriores, ver página 141.

---

[2] São Paulo, Imaginário, 2003.

PREFÁCIO À EDIÇÃO BRASILEIRA

Michael Löwy

Graças à Boitempo Editorial e ao tradutor Rubens Enderle, enfim existe em português uma tradução da *Crítica do Programa de Gotha* (1875) a partir do original alemão e com uma ampla documentação que permite situá-la em seu contexto histórico. Seguem-se então algumas breves observações introdutórias sobre o significado histórico e político dessa obra.

O ano de 1875 assistiu à unificação, na cidade de Gotha, dos dois partidos operários alemães: a Associação Geral dos Trabalhadores Alemães (na sigla alemã, ADAV), fundada em 1863, em Leipzig, por Ferdinand Lassalle (que morreu num duelo em 1864), e o Partido Social-Democrata dos Trabalhadores (SDAP), fundado em 1869, em Eisenach, por Wilhelm Liebknecht, Wilhelm Bracke e August Bebel, dirigentes socialistas próximos de Marx. O projeto de programa proposto no congresso de união privilegiava as teses de Lassalle, o que suscitou críticas virulentas da parte de Marx na forma de uma carta enviada a Bracke, com a solicitação de que fosse repassada aos outros dirigentes do "grupo de Eisenach"*. Em nome da unidade, Liebknecht impediu sua difusão, mas ainda assim ela teve efeito: algumas das fórmulas criticadas desapareceram da versão definitiva, aprovada no Congresso de Gotha. Apesar de sua indignação contra o programa,

---

* Carta de Marx a Bracke, maio de 1875, cf. infra, p. 19. (N. E.)

Marx não se opunha à fusão dos partidos; como escreveu na carta a Bracke anexada a este volume: "Cada passo do movimento real é mais importante do que uma dúzia de programas"*. Em contrapartida, Engels estava convencido – erroneamente! – "de que uma unificação sobre essa *base* não durará nem sequer um ano. [...] A cisão virá"[1].

Essas *Randglossen* [glosas marginais sobre o Programa de Gotha] somente foram publicadas em 1891, muito depois da morte de Marx, por Friedrich Engels, na revista socialista *Die Neue Zeit*, dirigida por Karl Kautsky. Ao longo do século XX, como sublinham com toda a razão Sonia Dayan-Herzbrun e Jean-Numa Ducange na apresentação da nova tradução francesa**, esse conjunto disperso de notas tornou-se "um texto coerente de combate contra o socialismo aliado ao Estado". Citado por Lenin em *O Estado e a revolução* (1917)*** e apresentado por Karl Korsch em 1922, em nome do jovem Partido Comunista Alemão (KPD), como uma crítica do estatismo social-democrata, ele acabou se transformando num texto canônico do "marxismo-leninismo".

Se lermos esse documento à luz dos debates do século XXI, alguns de seus aspectos têm apenas interesse histórico, como a polêmica de Marx contra "a lei de bronze dos salários" (o salário operário não pode ultrapassar o mínimo vital necessário), tão cara a Lassalle, mas hoje esquecida, ou contra a confusão lassalliana entre o "valor do trabalho" e o valor da força de trabalho. Outras passagens, ao contrário, ganham novo interesse no contexto dos atuais debates sobre a ecologia. É o caso da afirmação categórica de que o trabalho não é o único gerador de riqueza, a natureza o é tanto quanto ele. Assim, a crítica de muitos ecologistas a Marx – só o trabalho é fonte de valor – revela-se um mal-entendido: o valor de uso, que é a verdadeira riqueza, também é um produto da natureza.

---

* Cf. infra, p. 20. (N. E.)

[1] Carta a Bebel, março de 1875, cf. infra, p. 58.

** Karl Marx, *Critique du Programme de Gotha* (Paris, Éditions Sociales, 2008). (N. E.)

*** São Paulo, Expressão Popular, 2007. (N. E.)

Duas outras críticas são importantes: contra a afirmação de que "a classe trabalhadora atua por sua libertação, inicialmente, nos marcos do atual Estado nacional", o que, aos olhos de Marx, é uma abjuração do internacionalismo; e contra a definição de todas as outras classes, salvo o proletariado (e, portanto, os artesãos, os camponeses etc.), como "uma só massa reacionária"*. Marx suspeitava que Lassalle buscava uma aliança com o poder absolutista alemão contra a burguesia. Somente muito mais tarde suas cartas ao chanceler Bismarck seriam conhecidas...

Este documento é um dos raros textos de Marx que tratam da sociedade comunista do futuro, da qual ele define duas etapas distintas: a que leva ainda as marcas de nascença da velha sociedade, estruturada pelo "igual direito" – a cada um segundo seu trabalho – e a fase superior, baseada no generoso princípio que parece resumir em si toda a força utópica do marxismo – "de cada um segundo suas capacidades, a cada um segundo suas necessidades"**. Se o conceito de "abundância" parece problemático do ponto de vista dos limites naturais do planeta, o de "necessidade" é mais apto a uma definição sociocultural que foge das ciladas da infinitude.

O aspecto mais polêmico das notas, a crítica da "credulidade servil no Estado"***, permanece provavelmente como a contribuição mais interessante do documento. Seu objeto imediato são as concepções de Lassalle e seus discípulos, presentes sob vários aspectos no Programa de Gotha. O curioso é que as relações de Marx e Lassalle eram ambivalentes, uma mistura de admiração, rivalidade, desprezo e ignorância mútua. Os partidários de Marx na Alemanha – não só Liebknecht e Bebel, mas também Franz Mehring, futuro fundador do KPD – não partilhavam a hostilidade dos autores do *Manifesto Comunista* contra o fundador da ADAV, primeira grande organização ope-

---

* Cf. infra, p. 35 e 33. (N. E.)

** Cf. infra, p. 29 e 32. (N. E.)

*** Cf. infra, p. 46. (N. E.)

rária alemã. Dito isso, Marx não estava errado em criticar o estatismo – de inspiração hegeliana de esquerda – das teses de Lassalle e sua estratégia de transição para o socialismo com a ajuda de cooperativas criadas "com o apoio do Estado". A filosofia política de Lassalle pode ser resumida por um trecho de sua carta ao comitê de organização de um congresso de operários da Alemanha (1863):

> O Estado tem a obrigação de assumir a grande causa da associação livre e individual da classe operária [...]. Em primeiro lugar, é tarefa, destinação do Estado, *facilitar, assegurar* os grandes progressos da civilização humana. Essa é sua *função, é com esse objetivo que ele existe*. É para isso que ele *sempre* serviu, que deve sempre servir.[2]

É difícil imaginar uma tese mais oposta às ideias antiestatistas que Marx desenvolveu ao longo de sua vida, desde sua crítica à filosofia do Estado de Hegel, em 1843, até seus escritos sobre a Comuna de Paris, em 1871*. O autor de *O capital* não era contra as cooperativas, mas, como ele mesmo sublinha nas *Randglossen*, "elas *só* têm valor na medida em que são criações dos trabalhadores e independentes, não sendo protegidas nem pelos governos nem pelos burgueses"**.

Os comentários de Marx são também uma resposta a um terceiro interlocutor, isto é, Mikhail Bakunin, que em seu *Estatismo e anarquia* denunciou fortemente o cientificismo dos "marxianos" e dos lassallianos e sua concepção de um "pseudo-Estado popular". Se Marx não parece sensível à primeira crítica – as notas sobre o Programa de Gotha são marcadas por um acentuado cientificismo –, a segunda não o deixou indiferente. Na carta que enviou a Bracke anexada às *Randglossen*, ele justifica a necessidade dessas notas críticas pelo fato de que "Bakunin me torna responsável não apenas por todos os

---

[2] Ferdinand Lassalle, "Lettre ouverte en réponse au comité central d'organisation d'un congrès général des ouvriers allemands à Leipzig (1863) [Carta aberta ao Comitê Central pela convocação de um congresso geral dos operários alemães em Leipzig (1863)]", em Karl Marx, *Critique du Programme de Gotha*, cit., p. 91.

* Karl Marx, *Crítica da filosofia do direito de Hegel* (São Paulo, Boitempo, 2005); Idem, *A guerra civil na França* (São Paulo, Boitempo, 2011). (N. E.)

** Cf. infra, p. 41. (N. E.)

programas etc. daquele partido, mas até por cada passo de Liebknecht desde o início de sua cooperação com o Partido Popular"[3]. Engels, numa carta a Bebel em março de 1875, é ainda mais explícito:

> O Estado popular foi sobejamente jogado em nossa cara pelos anarquistas, embora já o escrito de *Marx contra Proudhon* e, mais tarde, o *Manifesto Comunista* digam de maneira explícita que, com a instauração da ordem socialista da sociedade, o Estado dissolve-se por si só e desaparece.[4]

Podemos dizer então que a crítica do estatismo lassalliano nas *Randglossen* é, de certo modo, provocada pelas polêmicas de Bakunin contra os sociais-democratas alemães.

Dito isso, Marx proclama contra os anarquistas a necessidade de certa forma de Estado – a "ditadura revolucionária do proletariado" – durante o período de transformação revolucionária que conduz ao advento da sociedade comunista. Como mostraram as pesquisas exaustivas de Hal Draper, essa célebre frase não era contraditória com a democracia[5]. Nem por isso era menos problemática e fadada a suscitar mal-entendidos e manipulações autoritárias. Mais preferível era o argumento de Engels, em sua carta a Bebel:

> Dever-se-ia ter deixado de lado todo esse palavreado sobre o Estado, sobretudo depois da Comuna, que já não era um Estado em sentido próprio. [...] Por isso, nossa proposta seria substituir, por toda parte, a palavra *Estado* por *Gemeinwesen* [comunidade], uma boa e velha palavra alemã, que pode muito bem servir como equivalente do francês *commune* [comuna].[6]

---

[3] Cf. infra, p. 20. O partido em questão é o SDAP, fundado em Eisenach, e o Partido Popular [*Volkspartei*] era um partido burguês liberal do qual Wilhelm Liebknecht havia participado antes da fundação do SDAP. [Sobre o "Partido Popular", cf. infra, p. 20, nota 3. (N. E.)]

[4] Cf. infra, p. 56.

[5] Hal Draper, *Karl Marx's Theory of Revolution: The "Dictatorship of the Proletariat"* (Nova York, Monthly Review Press, 1986, v. 3).

[6] Cf. infra, p. 56.

CRÍTICA DO PROGRAMA DE GOTHA

Prefácio de Friedrich Engels

O manuscrito aqui publicado – tanto a carta quanto a crítica do projeto de programa – foi enviado a Bracke em 1875, pouco antes do congresso de unificação de Gotha[1], para que fosse transmitido a Geib, Auer, Bebel e Liebknecht e, em seguida, reenviado a Marx. Já que o Congresso do Partido em Halle pôs em pauta a discussão do programa de Gotha, pareceu-me que seria um delito se eu continuasse a ocultar do público esse importante documento – talvez o mais importante – referente a essa discussão.

Mas o manuscrito guarda ainda outro significado mais abrangente. Aqui, pela primeira vez, é clara e firmemente exposta a atitude de Marx em relação à linha adotada por Lassalle em sua militância desde sua entrada no movimento, precisamente no que concerne a seus princípios econômicos e a sua tática.

Hoje, passados quinze anos, o implacável rigor com que o projeto de programa é esmiuçado, a austeridade com que são enunciados os resultados obtidos e são apontadas as insuficiências do projeto, tudo isso não pode mais ferir. Lassallianos legítimos só continuam a existir no estrangeiro, como ruínas solitárias, e o Programa de Gotha

---

1 No Congresso de Gotha (22 a 27 de maio de 1875), uniram-se no Partido Operário Socialista da Alemanha as duas organizações trabalhistas da época: o Partido Operário Social-Democrata, fundado por Liebknecht e Bebel em 1869, em Eisenach (por isso, chamado "eisenachiano"), e liderado por eles, e a lassalliana Associação Geral dos Trabalhadores Alemães, conduzida por Hasenclever, Hasselmann e Tölcke. (N. E. A.)

foi abandonado em Halle[2], até mesmo por seus criadores, como absolutamente insuficiente. No entanto, nas passagens em que o conteúdo não seria alterado, eliminei expressões e juízos mordazes sobre pessoas, substituindo-os por reticências*. O próprio Marx faria isso, se hoje publicasse o manuscrito.

A linguagem veemente com que manuscrito foi redigido deveu-se a duas circunstâncias. Em primeiro lugar, Marx e eu estávamos envolvidos com o movimento alemão mais intimamente do que com qualquer outro; assim, o retrocesso decisivo anunciado nesse projeto de programa só podia nos perturbar violentamente. Em segundo lugar, naquele momento – apenas dois anos após o Congresso de Haia da Internacional – estávamos na mais acalorada luta contra Bakunin e seus anarquistas, que nos apontavam como os responsáveis por tudo que acontecia no movimento operário na Alemanha; tínhamos razões para esperar que também nos fosse impingida a secreta paternidade desse programa. Essas considerações perderam sua validade e, portanto, não há mais necessidade das passagens em questão.

Devido à lei de imprensa, algumas sentenças foram substituídas por reticências. Quando tive de escolher uma expressão mais suave, coloquei-a entre colchetes. No restante, a reprodução do manuscrito é textual.

F. Engels
Londres, 6 de janeiro de 1891

---

[2] O Congresso da Social-Democracia Alemã em Halle, o primeiro após a suspensão das leis contra os socialistas, elaborou em 16 de outubro de 1890, por proposta de Wilhelm Liebknecht, o principal autor do Programa de Gotha, a resolução de apresentar, até o congresso seguinte do partido, o esboço de um novo programa. Este foi aprovado em outubro de 1891 (o Programa de Erfurt, cf. infra, p. 92). (N. E. A.)

* Na presente edição, as passagens substituídas por Engels em 1891 são indicadas em negrito. (N. T.)

Carta de Karl Marx a Wilhelm Bracke

Londres, 5 de maio de 1875

Caro Bracke!

Envio-lhe as notas críticas ao programa de coalizão e peço-lhe a gentileza de, após sua leitura, repassá-las a Geib, Auer, Bebel e Liebknecht. *N.B. O manuscrito tem de retornar às suas* mãos, para que esteja à minha disposição, caso eu necessite dele. Estou sobrecarregado e tenho de superar em muito a carga de trabalho que me foi prescrita pelo médico[1]. De modo que, para mim, não foi nenhum "prazer" escrever tão longos comentários. Mas foi necessário, para que mais tarde não pairem dúvidas sobre minha posição em relação aos passos dados pelos correligionários a quem essas notas se dirigem.

Depois da realização do congresso de coalizão, Engels e eu publicaremos uma curta nota, esclarecendo que nos distanciamos

---

[1] Desde o início de 1873, devido ao excesso de trabalho, Marx voltara a sofrer de fortes dores de cabeça e insônia. Por isso, foi-lhe prescrito que reduzisse radicalmente o tempo de trabalho para no máximo quatro horas diárias. A estadia em Karlsbad, no fim do verão de 1874, provocou uma significativa melhora em seu estado de saúde, mas ele ainda teve de limitar fortemente as horas de trabalho (ver carta a Pjotr Lavrovitsch Lavrov de 11 de fevereiro de 1875). Tanto o minucioso trabalho de finalização da edição francesa do primeiro volume de *O capital* (ver carta a Jenny de 10 de maio de 1874) quanto a intensa pesquisa sobre os problemas tratados no segundo volume (ver carta a Maurice Lachâtre de 30 de janeiro de 1875), levaram Marx a não seguir a orientação médica. (N. E. A.)

totalmente desse programa de princípios e não temos nada a ver com ele[2].

Isso é indispensável, uma vez que, no exterior, espalha-se a ideia – absolutamente errônea, alimentada com o mais extremo zelo pelos inimigos do partido – de que em segredo dirigimos daqui o movimento do chamado Partido de Eisenach. Por exemplo, num texto recente, publicado em russo*, Bakunin me torna responsável não apenas por todos os programas etc. daquele partido, **mas até por cada passo de Liebknecht desde o início de sua cooperação com o Partido Popular**[3].

Além disso, é também minha obrigação não reconhecer, com um silêncio diplomático, um programa que, como estou convencido, é absolutamente nefasto e desmoralizador para o partido.

Cada passo do movimento real é mais importante do que uma dúzia de programas. Se, portanto, não se podia – e as circunstâncias do momento não o permitiam – ir *além* do Programa de Eisenach**, então era melhor ter firmado um acordo para a ação contra o inimigo comum. Mas, ao se conceber programas de princípios (em vez de

---

2 Sobre essa intenção, Engels diz na carta a Bracke de 11 de outubro de 1875 (cf. infra, p. 60): "Por sorte, o programa acabou melhor do que merecia. Os trabalhadores, assim como os burgueses e pequeno-burgueses, leem nele o que deveria estar escrito e não o que está lá, e a nenhum lado ocorre pesquisar abertamente o real significado de qualquer uma daquelas maravilhosas frases. Isso nos possibilitou silenciar sobre esse programa". (N. E. A.)

* Referência ao livro *Estatismo e anarquia*, cit., de Mikhail Bakunin, do qual Marx faz o resumo crítico que publicamos nesta edição (cf. infra, p. 105 ss. e infra, p. 105, nota *). (N. T.)

3 O Partido Popular Alemão, cuja esfera de influência se restringia sobretudo a Württemberg, Baden e Bavária, originou-se do Partido Popular Democrático, que existia no sudoeste da Alemanha desde 1863. Foi fundado em Stuttgart em 20 de setembro de 1868. Até passar para o campo do liberalismo de esquerda no decorrer dos anos 1880 e 1890, representou posições democráticas, antiprussianas e federalistas. (N. E. A.)

** O Programa de Eisenach (cf. infra, p. 83-5) foi adotado no Congresso de Fundação do Partido Operário Social-Democrata – que se realizou em Eisenach de 7 a 9 de agosto de 1869 – e publicado, juntamente com os estatutos do partido, no jornal operário *Demokratisches Wochenblatt* (Leipzig, 14 ago. 1869, n. 33), sob o título "Programa e estatutos do Partido Operário Social-Democrata". Com esse programa, Auguste Bebel e Wilhelm Liebknecht deram ao partido uma orientação claramente marxista e conforme com os princípios da Internacional. (N. T.)

postergar isso até que tal programa possa ser preparado por uma longa atividade comum), o que se faz é fornecer ao mundo as balizas que servirão para medir o avanço do movimento do partido.

Os líderes lassallianos nos procuraram forçados pelas circunstâncias[4]. Se tivessem sido previamente esclarecidos de que não haveria nenhuma barganha de princípios, teriam sido obrigados a se contentar com um programa de ação ou um plano para a ação comum. Em vez disso, permitimos que eles se apresentem munidos de mandatos, reconhecemos esses mandatos como vinculantes e assim nos submetemos incondicionalmente ao arbítrio daqueles que necessitam de socorro. Para coroar a situação, eles promovem um congresso *antes do congresso de unificação*[5], enquanto nosso próprio partido realiza seu congresso *post festum**. O que se pretendia era claramente escamotear qualquer crítica e não deixar que nosso partido pudesse refletir sobre a questão. É claro que o mero fato da união basta para satisfazer os trabalhadores, mas engana-se quem acredita que esse êxito momentâneo não custou caro demais.

Além disso, o programa não vale nada, mesmo que não se leve em conta a canonização dos artigos de fé lassallianos.

Eu lhe enviarei em breve os fascículos finais da edição francesa de *O capital*. A impressão foi suspensa por um bom tempo por ordem do governo francês. Nesta semana, ou no começo da próxima, a edição estará pronta. Você recebeu os seis primeiros fascículos? Queira me informar também o *endereço* de Bernard Becker, para que eu possa enviar a ele os fascículos finais.

---

4 Com base na afirmação semelhante de Engels, em carta a Bebel de 18-28 de março de 1875 (cf. infra, p. 51.), pode-se supor que Marx se refere fundamentalmente a Wilhelm Hasenclever, Wilhelm Hasselmann e Karl Wilhelm Tölcke. (N. E. A.)

5 Sobre o Pré-Congresso de Gotha, realizado em 14 e 15 de fevereiro de 1875 e em que se elaborou o esboço do programa, Liebknecht escreveu a Engels em 21 de abril de 1875: "Os lassallianos realizaram uma reunião *da direção*, com *mandato vinculado*, e decidiram uma série de pontos polêmicos [...]. De todo modo, a coisa foi posta assim: *ou este programa, ou nenhuma unificação*". (N. E. A.)

* "Após a festa", em outras palavras, tarde demais. (N. T.)

A livraria do *Volksstaat** tem modos peculiares. Até o momento, por exemplo, não recebi nenhum exemplar do *Processo dos comunistas de Colônia***.

Cordiais saudações,
Karl Marx

* Marx refere-se à livraria editora do Partido Operário Social-Democrata, vinculada à redação do jornal *Der Volksstaat*. (N. T.)

** Karl Marx, *Enthüllungen über den Kommunistenprozeß zu Köln* (1953), em Karl Marx/ Friedrich Engels Gesamtausgabe (MEGA), I/11 (Berlim, Dietz, 1985), p. 363-424 e p. 974-1022. (N. T.)

Glosas marginais ao programa do Partido Operário Alemão*

I.

1) "O trabalho é a fonte de toda riqueza e toda cultura, *e como* o trabalho útil só é possível na sociedade e por meio da sociedade, o fruto do trabalho [*Arbeitsertrag*] pertence inteiramente, com igual direito, a todos os membros da sociedade."

Primeira parte do parágrafo: "O trabalho é a fonte de toda riqueza e toda cultura".

O trabalho *não é a fonte* de toda riqueza. A *natureza* é a fonte dos valores de uso (e é em tais valores que consiste propriamente a riqueza material!), tanto quanto o é o trabalho, que é apenas a exteriorização de uma força natural, da força de trabalho humana.

Essa frase pode ser encontrada em todos os manuais infantis e está correta, desde que se *subentenda* que o trabalho se realiza com os objetos e os meios a ele pertinentes. Mas um programa socialista não pode permitir que tais fraseologias burguesas possam silenciar as *condições* que, apenas elas, dão algum significado a essas fraseologias. Apenas porque desde o princípio o homem se relaciona com a natureza como proprietário, a primeira fonte de todos os meios e

* Escrito de abril ao começo de maio de 1875. Publicado pela primeira vez em *Die Neue Zeit*, n. 18, v. 1, 1890-1891. A presente tradução baseia-se no texto do manuscrito original de Marx. As variantes em relação à edição de 1891 são indicadas em notas de rodapé. (N. T.)

objetos de trabalho, apenas porque ele a trata como algo que lhe pertence, é que seu trabalho se torna a fonte de todos os valores de uso, portanto, de toda riqueza. Os burgueses têm excelentes razões para atribuir ao trabalho essa *força sobrenatural de criação*; pois precisamente do condicionamento natural do trabalho segue-se que o homem que não possui outra propriedade senão sua força de trabalho torna-se necessariamente, em todas as condições sociais e culturais, um escravo daqueles que se apropriaram das condições objetivas do trabalho. Ele só pode trabalhar com sua permissão, portanto, só pode viver com sua permissão.

Deixemos agora a frase tal como está, ou melhor, tal como vem capengando. O que deveríamos esperar como conclusão? Exatamente isto: "Porque o trabalho é a fonte de toda a riqueza, ninguém na sociedade pode apropriar riqueza que não seja fruto do trabalho. Se, portanto, ele mesmo não trabalha, então vive do trabalho alheio e apropria sua cultura também à custa do trabalho alheio".

Em vez disso, à primeira frase acopla-se, com o parafuso gramatical "e como", uma segunda frase, a fim de extrair desta última, e não da primeira, uma conclusão.

Segunda parte do parágrafo: "O trabalho útil só é possível na sociedade e por meio da sociedade".

De acordo com a primeira sentença, o trabalho era a fonte de toda riqueza e toda cultura, de modo que também nenhuma sociedade era possível sem trabalho. Agora ficamos sabendo, ao contrário, que nenhum trabalho "útil" é possível sem sociedade.

Poder-se-ia ter dito, do mesmo modo, que apenas na sociedade o trabalho inútil e mesmo prejudicial à comunidade pode se tornar um ramo da indústria, que apenas na sociedade se pode viver do ócio etc. etc. – em suma, poder-se-ia ter copiado a obra inteira de Rousseau.

E o que é trabalho "útil"? Só pode ser o trabalho que gera o efeito útil visado. Um selvagem – e o homem é um selvagem, depois de ter deixado de ser macaco – que abate um animal com uma pedra, colhe frutas etc. realiza trabalho "útil".

Terceira parte: a conclusão: "E como o trabalho útil só é possível na sociedade e por meio da sociedade, o fruto do trabalho pertence inteiramente, com igual direito, a todos os membros da sociedade".

Bela conclusão! Se o trabalho útil só é possível na sociedade e por meio da sociedade, o fruto do trabalho pertence à sociedade – e desse produto só é dado ao trabalhador individual tanto quanto não é indispensável para a manutenção da "condição" do trabalho, a sociedade.

Na verdade, essa tese também foi defendida, em todos os tempos, pelos *espadachins da ordem social de cada época*. Primeiro, surgem as pretensões do governo, com tudo que nele está incluído, pois ele é o órgão social para a manutenção da ordem social; em seguida, surgem as pretensões dos diferentes tipos de proprietários privados, pois os diferentes tipos de propriedade privada são os fundamentos da sociedade etc. Como se vê, pode-se revirar e revirar essas frases ocas como se queira.

A primeira e a segunda partes do parágrafo só têm algum nexo compreensível com a seguinte redação: "O trabalho só se torna fonte da riqueza e da cultura como trabalho social" ou, o que dá no mesmo, "na e por meio da sociedade".

Essa sentença é incontestavelmente correta, pois se o trabalho isolado (pressupostas suas condições materiais) também pode criar valores de uso, ele não pode criar riqueza nem cultura.

Mas é igualmente incontestável esta outra sentença: "Na medida em que o trabalho se desenvolve socialmente e se torna, desse modo, fonte de riqueza e cultura, desenvolvem-se a pobreza e o abandono do lado do trabalhador, a riqueza e a cultura do lado do não trabalhador".

Essa é a lei de toda a história até o presente. Portanto, em vez de lançar frases feitas sobre "*o* trabalho" e "*a* sociedade", dever-se-ia demonstrar com precisão de que modo, na atual sociedade capitalista, são finalmente criadas as condições materiais etc. que habilitam e obrigam os trabalhadores a romper essa maldição histórica[1].

---

1 Em 1891, "social". (N. E. A.)

Na verdade, esse parágrafo inteiro, defeituoso quanto ao estilo e ao conteúdo, existe apenas para que se possa escrever na bandeira do partido, como palavra de ordem, a fórmula lassalliana do "fruto integral do trabalho"[2]. Voltarei mais adiante ao "fruto do trabalho", ao "igual direito" etc., pois a mesma questão reaparece numa forma um pouco diferente.

2) "Na sociedade atual, os meios de trabalho constituem o monopólio da classe capitalista; a dependência da classe trabalhadora, que resulta desse monopólio, é a causa da miséria e da servidão em todas as suas formas."

Essa frase, tomada dos Estatutos da Internacional, é falsa nessa redação "melhorada".

Na sociedade atual, os meios de trabalho são monopólio dos proprietários fundiários (o monopólio da propriedade fundiária é até mesmo a base do monopólio do capital) *e* dos capitalistas. Os Estatutos da Internacional, na passagem em questão, não nomeiam nem uma nem outra classe de monopolistas. Eles falam de "*monopólio dos meios de trabalho, isto é, das fontes de vida*"*; o aditamento "meios de vida" mostra claramente que o solo está incluído entre os meios de trabalho.

A retificação foi feita porque Lassalle, por razões hoje conhecidas[3], atacava *apenas* a classe capitalista, não os proprietários fundiários.

[2] Ferdinand Lassalle propagara a palavra de ordem "fruto integral do trabalho" – já conhecida por intermédio de autores como Charles Hall, William Thompson e Johann Karl Rodbertus – numa série de escritos. Já em sua "Carta aberta ao Comitê Central pela convocação de um congresso geral dos operários alemães em Leipzig" (Zurique, 1863), ele dizia: "Quando o estamento operário for seu próprio patrão, então a *separação* entre *salário e lucro* deixará de existir e, com ela, o salário em geral, ocupando seu lugar, como valorização do trabalho: o fruto do trabalho!". A formulação do programa, aqui citada por Marx, aproxima-se bastante da formulação que Lassalle apresenta em seu discurso "Aos trabalhadores de Berlim", de 14 de outubro de 1863, em que afirma que o salário, nas associações de produção a ser fundadas, "engloba o *fruto integral do trabalho*, portanto, também o ganho obtido nos negócios". (N. E. A.)

* Cf. infra, p. 79. (N. T.)

[3] Marx faz alusão às negociações secretas que Ferdinand Lassalle manteve com Otto von Bismarck – e com o governo prussiano, portanto – de maio de 1863 a fevereiro

Na Inglaterra, o capitalista, na maioria das vezes, não é nem sequer proprietário do terreno em que se encontra sua fábrica.

3) "A libertação do trabalho requer a elevação dos meios de trabalho a patrimônio comum da sociedade e a regulação cooperativa [*genossenschaftliche*] do trabalho total, com distribuição justa do fruto do trabalho."

"Elevação dos meios de trabalho a patrimônio comum"! O certo seria falar em sua "transformação em patrimônio comum". Mas isso é apenas um detalhe.

O que é "fruto do trabalho"? O produto do trabalho ou seu valor? E, no último caso, é o valor total do produto ou somente a nova fração do valor que o trabalho acrescentou ao valor dos meios de produção consumidos?

"Fruto do trabalho" é uma noção vazia, posta por Lassalle no lugar de conceitos econômicos determinados.

O que é distribuição "justa"?

Os burgueses não consideram que a atual distribuição é "justa"? E não é ela a única distribuição "justa" tendo como base o atual modo de produção? As relações econômicas são reguladas por conceitos jurídicos ou, ao contrário, são as relações jurídicas que derivam das relações econômicas? Os sectários socialistas não têm eles também as mais diferentes concepções de distribuição "justa"?

Para saber o que, nesse caso, deve-se entender pela fraseologia "distribuição justa", temos de justapor o primeiro parágrafo ao segundo. Neste, supõe-se uma sociedade em que "os meios de trabalho são patrimônio comum e o trabalho total é regulado cooperativamente", enquanto, no primeiro parágrafo, temos que "o fruto do trabalho pertence inteiramente, com igual direito, a todos os membros

---

de 1864, sem o conhecimento dos membros da Associação Geral dos Trabalhadores Alemães (AGTA). Essas negociações tinham como base as ideias de socialismo estatal de Lassalle. Na tentativa de implementá-las, ele apoiou Bismarck – que, antes de tudo, representava os interesses da aristocracia feudal – em sua luta contra a burguesia liberal. Mais tarde, outros líderes da AGTA agiram da mesma forma. (N. E. A.)

da sociedade". "A todos os membros da sociedade"? Também aos que não trabalham? Como fica, então, o "fruto integral do trabalho"? Ou apenas aos membros da sociedade que trabalham? Nesse caso, como fica "o igual direito" de todos os membros da sociedade?

Mas "todos os membros da sociedade" e "o igual direito" são apenas modos de dizer. O essencial é que, nessa sociedade comunista, cada trabalhador tem de receber seu[4] "fruto integral do trabalho" lassalliano.

Se tomarmos, em primeiro lugar, o termo "fruto do trabalho" no sentido do produto do trabalho, então o fruto do trabalho coletivo é *o produto social total.*

Dele, é preciso deduzir:

Primeiro: os recursos para a substituição dos *meios de produção* consumidos.

Segundo: a parte adicional para a expansão da produção.

Terceiro: um fundo de reserva ou segurança contra acidentes, prejuízos causados por fenômenos naturais etc.

Essas deduções do "fruto integral do trabalho" são uma necessidade econômica e sua grandeza deve ser determinada de acordo com os meios e as forças disponíveis, em parte por cálculo de probabilidades, porém elas não podem de modo algum ser calculadas com base na justiça.

Resta a outra parte do produto total, que é destinada ao consumo.

Mas antes de ser distribuída entre os indivíduos, dela são novamente deduzidos:

Primeiro: os custos gerais da administração, que não entram diretamente[5] *na produção.*

Essa fração será consideravelmente reduzida, desde o primeiro momento, em comparação com a sociedade atual e diminuirá na mesma medida em que a nova sociedade se desenvolver.

Segundo: o que serve à satisfação das necessidades coletivas, como escolas, serviços de saúde etc.

---

[4] Em 1891, "um". (N. E. A.)

[5] Em 1891, falta a palavra "diretamente". (N. E. A.)

Essa parte crescerá significativamente, desde o início, em comparação com a sociedade atual e aumentará na mesma medida em que a nova sociedade se desenvolver.

Terceiro: fundos para os incapacitados para o trabalho etc., em suma, para o que hoje forma a assim chamada assistência pública à população carente.

Apenas agora chegamos àquilo que o programa, sob influência lassalliana, contempla de modo isolado e limitado – a "distribuição", mais precisamente, a parte dos meios de consumo que são repartidos entre os produtores individuais da sociedade cooperativa.

O "fruto integral do trabalho" se transformou imperceptivelmente em fruto "parcial", embora aquilo que se tira do produtor em sua qualidade de indivíduo privado reverta-se direta ou indiretamente em seu proveito na sua qualidade de membro da sociedade.

Assim como a fraseologia do "fruto integral do trabalho" desapareceu, agora vemos desaparecer a fraseologia do "fruto do trabalho" em geral.

No interior da sociedade cooperativa, fundada na propriedade comum dos meios de produção, os produtores não trocam seus produtos; do mesmo modo, o trabalho transformado em produtos não aparece aqui como *valor* desses produtos, como uma qualidade material que eles possuem, pois agora, em oposição à sociedade capitalista, os trabalhos individuais existem não mais como um desvio, mas imediatamente como parte integrante do trabalho total. A expressão "fruto do trabalho", que hoje já é condenável por sua ambiguidade, perde assim todo sentido.

Nosso objeto aqui é uma sociedade comunista, não como ela se *desenvolveu* a partir de suas próprias bases, mas, ao contrário, como ela acaba de *sair* da sociedade capitalista, portanto trazendo de nascença as marcas econômicas, morais e espirituais herdadas da velha sociedade de cujo ventre ela saiu.

Por conseguinte, o produtor individual – feitas as devidas deduções – recebe de volta da sociedade exatamente aquilo que lhe deu. O que ele lhe deu foi sua quantidade individual de trabalho. Por exemplo, a jornada social de trabalho consiste na soma das horas individuais de trabalho. O tempo individual de trabalho do produtor individual é a parte da jornada social de trabalho que ele fornece, é sua participação nessa jornada. Ele recebe da sociedade um certificado de que forneceu um tanto de trabalho (depois da dedução de seu trabalho para os fundos coletivos) e, com esse certificado, pode retirar dos estoques sociais de meios de consumo uma quantidade equivalente a seu trabalho. A mesma quantidade de trabalho que ele deu à sociedade em uma forma, agora ele a obtém de volta em outra forma.

Aqui impera, é evidente, o mesmo princípio que regula a troca de mercadorias, na medida em que esta é troca de equivalentes. Conteúdo e forma são alterados, porque, sob as novas condições, ninguém pode dar nada além de seu trabalho e, por outro lado, nada pode ser apropriado pelos indivíduos fora dos meios individuais de consumo. No entanto, no que diz respeito à distribuição desses meios entre os produtores individuais, vale o mesmo princípio que rege a troca entre mercadorias equivalentes, segundo o qual uma quantidade igual de trabalho em uma forma é trocada por uma quantidade igual de trabalho em outra forma.

Por isso, aqui, o *igual direito* é ainda, de acordo com seu princípio, o *direito burguês*, embora princípio e prática deixem de se engalfinhar, enquanto na troca de mercadorias a troca de equivalentes existe apenas *em média*, não para o caso individual.

Apesar desse progresso, esse *igual direito* continua marcado por uma limitação burguesa. O direito dos produtores é *proporcional* a seus fornecimentos de trabalho; a igualdade consiste, aqui, em medir de acordo com um *padrão igual de medida: o trabalho*. Mas um trabalhador supera o outro física ou mentalmente e fornece, portanto, mais trabalho no mesmo tempo ou pode trabalhar por mais tempo; e o trabalho, para servir de medida, ou tem de ser determinado de acordo com sua extensão ou sua intensidade, ou deixa de ser padrão de medida. Esse igual direito é direito desigual para trabalho desigual. Ele não reconhece nenhuma distinção de classe, pois cada indivíduo é apenas trabalhador tanto quanto o outro; mas reconhece tacitamente a desigualdade dos talentos individuais como privilégios naturais e, por conseguinte, a desigual capacidade dos trabalhadores[6]. *Segundo seu conteúdo, portanto, ele é, como todo direito, um direito da desigualdade.* O direito, por sua natureza, só pode consistir na aplicação de um padrão igual de medida; mas os indivíduos desiguais (e eles não seriam indivíduos diferentes se não fossem desiguais) só podem ser medidos segundo um padrão igual de medida quando observados do mesmo ponto de vista, quando tomados apenas por um aspecto *determinado*, por exemplo, quando, no caso em questão, são considerados *apenas como trabalhadores* e neles não se vê nada além disso, todos os outros aspectos são desconsiderados.

Além disso: um trabalhador é casado, o outro não; um tem mais filhos do que o outro etc. etc. Pelo mesmo trabalho e, assim, com a mesma participação no fundo social de consumo, um recebe, de fato, mais do que o outro, um é mais rico do que o outro etc. A fim de evitar todas essas distorções, o direito teria de ser não igual, mas antes[7] desigual.

Mas essas distorções são inevitáveis na primeira fase da sociedade comunista, tal como ela surge, depois de um longo trabalho de parto, da sociedade capitalista. O direito nunca pode ultrapassar a forma econômica e o desenvolvimento cultural, por ela condicionado, da sociedade.

Numa fase superior da sociedade comunista, quando tiver sido eliminada a subordinação escravizadora dos indivíduos à divisão do trabalho e, com ela, a oposição entre trabalho intelectual e manual; quando o trabalho tiver deixado de ser mero meio de vida e tiver se tornado a primeira necessidade vital; quando, juntamente com o desenvolvimento multifacetado dos indivíduos, suas[8] forças produ-

---

[6] Em 1891, faltam as palavras "dos trabalhadores". (N. E. A.)

[7] Em 1891, falta a palavra "antes". (N. E. A.)

[8] Em 1891, "as". (N. E. A.)

tivas também tiverem crescido e todas as fontes da riqueza coletiva jorrarem em abundância, apenas então o estreito horizonte jurídico burguês poderá ser plenamente superado e a sociedade poderá escrever em sua bandeira: "De cada um segundo suas capacidades, a cada um segundo suas necessidades!".

Demorei-me sobre o "fruto integral do trabalho", de um lado, e o "igual direito", "a distribuição justa", de outro, para demonstrar a infâmia de querer, de um lado, impor ao nosso partido, como dogmas, noções que tiveram algum sentido numa certa época, mas que hoje se tornaram restolhos fraseológicos ultrapassados, e, de outro lado, deturpar a concepção realista – que foi introduzida com tanto esforço no partido, mas deixou suas raízes – por meio de disparates ideológicos, jurídicos e outros gêneros, tão em voga entre os democratas e os socialistas franceses[9].

Abstração feita do que expomos até aqui, foi em geral um erro transformar a assim chamada *distribuição* em algo essencial e pôr nela o acento principal.

A distribuição dos meios de consumo é, em cada época, apenas a consequência da distribuição das próprias condições de produção; contudo, esta última é uma característica do próprio modo de produção. O modo de produção capitalista, por exemplo, baseia-se no fato de que as condições materiais de produção estão dadas aos não trabalhadores sob a forma de propriedade do capital e de propriedade fundiária, enquanto a massa é proprietária somente da condição pessoal de produção, da força de trabalho. Estando assim distribuídos os elementos da produção, daí decorre por si mesma a atual distribuição dos meios de consumo. Se as condições materiais de produção fossem propriedade coletiva dos próprios trabalhadores, então o resultado seria uma distribuição dos meios de consumo di-

---

[9] Em sua obra *A subversão da ciência pelo sr. Eugen Düring* [Anti-Düring], publicada em 1878, em Leipzig, Engels caracterizava o socialismo francês da época "como uma espécie de socialismo eclético e medíocre", que, "comportando nuances extremamente variadas, apresenta uma mistura das mais opacas omissões críticas, sentenças econômicas e ideias do futuro da sociedade de diversos fundadores de seitas". (N. E. A.)

ferente da atual. O socialismo vulgar* (e a partir dele, por sua vez, uma parte da democracia) herdou da economia burguesa o procedimento de considerar e tratar a distribuição como algo independente do modo de produção e, por conseguinte, de expor o socialismo como uma doutrina que gira principalmente em torno da distribuição. Depois de a relação real estar há muito esclarecida, por que retroceder?

4) "A libertação do trabalho tem de ser obra da classe trabalhadora, diante da qual todas as outras classes são *uma só massa reacionária*."

A primeira oração é extraída do preâmbulo dos Estatutos da Internacional, porém, aqui, ela é "melhorada". Naquele texto, diz-se: "A libertação da classe trabalhadora tem de ser obra dos próprios trabalhadores"**; aqui, ao contrário, é a "classe trabalhadora" que tem de libertar – o quê? – "o trabalho". Compreenda quem puder.

A título de reparação, a oração seguinte é, ao contrário, a mais pura das citações lassallianas: "diante da qual (da classe trabalhadora) todas as outras classes formam *uma só massa reacionária*"[10].

---

* Assim Marx e Engels chamam o socialismo eclético, que Engels, por exemplo, identifica no socialismo francês daqueles anos (cf. supra, p. 32, nota 9) e que se concentrava sobretudo na exigência de uma distribuição "mais justa" do produtos do trabalho, sem considerar suficientemente o nexo essencial entre a distribuição e as relações de produção, elemento central da teoria marxiana. (N. T.)

** Cf. infra, p. 79. (N. T.)

[10] O teor da ideia lassalliana de "uma só massa revolucionária" surgiu claramente de uma discussão da Associação Geral dos Trabalhadores Alemães (AGTA) com o Partido Progressista Alemão, a partir do verão de 1865, e foi marcada pela atuação no debate de Johann Baptist von Schweitzer, presidente da AGTA de 1867 a 1872 (ver carta de Engels a Marx de 22 de outubro de 1868). Essa ideia era a expressão de uma política que subestimava a necessidade de uma política de coalizão (sobretudo com os camponeses), ignorava as oposições entre os adversários políticos do movimento operário e desprezava a luta contra a reação feudal. Uma mostra dessa tendência na política de Lassalle pode ser encontrada em seu discurso diante dos trabalhadores de Berlim, em 22 de novembro de 1862, publicado no *Social-Demokrat*, em 31 de agosto de 1865. Diz ele: "Para mim, portanto, desaparecem as diferenças e as oposições que, em geral, separam o partido reacionário e o partido progressista. Para mim, esses dois partidos, apesar de suas diferenças internas, formam, no fim das contas, *um só* partido reacionário comum". (N. E. A.)

No *Manifesto Comunista*, diz-se:

> De todas as classes que hoje em dia se opõem à burguesia, só o proletariado é uma classe verdadeiramente revolucionária. As outras classes degeneram e perecem com o desenvolvimento da grande indústria; o proletariado, pelo contrário, é seu produto mais autêntico.*

A burguesia é concebida aqui como classe revolucionária – como portadora da grande indústria – em face da aristocracia feudal e das classes médias [*Mittelständen*], que desejam conservar todas as posições sociais criadas por modos de produção ultrapassados. Elas não formam, portanto, *juntamente com a burguesia*, uma só massa reacionária.

Por outro lado, o proletariado é revolucionário diante da burguesia, porque, sendo ele mesmo fruto do solo da grande indústria, busca eliminar da produção seu caráter capitalista, o qual a burguesia procura perpetuar. Mas o *Manifesto* acrescenta que "quando [as camadas médias] se tornam revolucionárias, isto se dá em consequência de sua iminente passagem para o proletariado"**.

Desse ponto de vista, é também um absurdo dizer que as classes médias, "juntamente com a burguesia" e, sobretudo, com a aristocracia feudal, "formam uma só massa reacionária" diante da classe trabalhadora.

Por acaso, nas últimas eleições, gritou-se aos artesãos, aos pequenos industriais etc. e aos *camponeses*: "Comparados a nós, vocês formam, juntamente com a burguesia e a aristocracia feudal, uma só massa reacionária"?

Lassalle sabia de cor o *Manifesto Comunista*, tanto quanto seus fiéis sabem os escritos sagrados que ele produz. Portanto, quando ele o falsificou de modo tão grosseiro, foi apenas com o objetivo de enfeitar sua aliança com os adversários absolutistas e feudalistas contra a burguesia***.

No parágrafo em questão, aliás, sua sentença oracular é introduzida arrastada pelos cabelos, sem qualquer conexão com a distorcida

---

* São Paulo, Boitempo, 1998, p. 49. (N. E.)

** Idem. (N. E.)

*** Cf. supra, p. 26, nota 3. (N. T.)

citação dos Estatutos da Internacional. Não passa, aqui, de uma impertinência e, em verdade, uma impertinência do tipo que não desagrada nem um pouco ao sr. Bismarck, uma dessas grosserias baratas de cujo comércio vive o Marat de Berlim[11].

5) "A classe trabalhadora atua por sua libertação, inicialmente, *nos marcos do atual Estado nacional*, consciente de que o resultado necessário de seu esforço, comum a todos os trabalhadores de todos os países civilizados, será a fraternização internacional dos povos."

Lassalle, ao contrário do *Manifesto Comunista* e de todo o socialismo anterior, concebeu o movimento dos trabalhadores sob a mais estreita ótica nacional. Aqui, o programa segue seus passos – e isso depois da ação da Internacional!

É evidente que, para poder lutar em geral, a classe trabalhadora tem de se organizar internamente como classe, e a esfera nacional é o terreno imediato de sua luta. Nesse sentido, sua luta de classe é nacional, não segundo o conteúdo, mas, como diz o *Manifesto Comunista*, "segundo a forma".

Mas os próprios "marcos do atual Estado nacional" do Império alemão, por exemplo, situam-se, economicamente, "nos marcos do mercado mundial" e, politicamente, "nos marcos do sistema dos Estados". Qualquer comerciante sabe que o comércio alemão é, ao mesmo tempo, comércio exterior, e a grandeza do sr. Bismarck reside justamente em sua[12] forma de política *internacional*.

E a que o Partido Operário Alemão reduz seu internacionalismo? À consciência de que o resultado de seu esforço "*será a fraternização internacional dos povos*" – uma fraseologia tomada de empréstimo da Liga da Liberdade e da Paz[13] e que tem pretensamente o mesmo

[11] Wilhelm Hasselmann. (N. E. A.)

[12] Em 1891, "uma". (N. E. A.)

[13] Referência à Liga Internacional da Paz e da Liberdade (*Ligue internationale de la Paix e de la Liberté*), fundada em 1887, em Genebra, por Charles Lemonnier e com a possível participação de Victor Hugo e Giuseppe Garibaldi. Seu programa se sustentava na proposta de formação dos "Estados Unidos da Europa" e era fortemente marcado pelo pacifismo. A liga foi fundada como contrapartida à Internacional proletária e

significado da fraternização internacional das classes trabalhadoras em sua luta comum contra as classes dominantes e seus governos. Nenhuma palavra, portanto, *sobre as funções internacionais* da classe trabalhadora alemã! E assim ela deve enfrentar sua própria burguesia – que, contra ela, já se une fraternalmente aos burgueses de todos os países – e a conspiratória política internacional do sr. Bismarck[14]!

Na verdade, a profissão de fé internacionalista do programa é *infinitamente inferior* à do Partido do Livre-Câmbio[15]. Este também declara que o resultado de seu esforço é "a fraternização internacional dos povos". Mas também *age* para transformar o comércio num comércio internacional, não se contentando em absoluto com a consciência de que todos os povos fazem comércio dentro de seus respectivos domínios.

A ação internacional das classes trabalhadoras não depende de maneira alguma da existência da "Associação Internacional dos Trabalhadores". Esta foi apenas uma primeira tentativa de criar um órgão central voltado para aquela atividade – tentativa que, pelo impulso que deu ao movimento, teve uma eficácia durável, mas que, *em sua primeira forma histórica*, tornou-se impraticável após a queda da Comuna de Paris.

---

recusava-se, como Marx salientou em seu discurso ao Conselho Geral da Internacional de 13 de agosto de 1867, a tomar parte da eliminação da contradição entre o capital e o trabalho, o que, segundo ele, evidenciava sua falha de não levar em consideração os pressupostos reais para uma paz universal (ver *The Bee-Hive Newspaper*, Londres, n. 305, 17 ago. 1867). Até 1879, a liga reuniu-se em congressos anuais na Suíça. (N. E. A.)

14 A repressão ao movimento operário revolucionário internacional foi um dos componentes decisivos das atividades diplomáticas iniciadas por Bismarck e orientadas para a efetivação da Liga dos Três Imperadores, tratado assinado em 22 de outubro de 1873. Marx e Engels viam nesse tratado uma tentativa de reavivar a Santa Aliança. (N. E. A.)

15 Na Alemanha, o Partido do Livre-Câmbio não era um partido parlamentar, mas, como ele mesmo se proclamava, um partido de princípios, no qual livre-cambistas de diferentes partidos políticos atuavam em conjunto para a realização de seus interesses específicos. Desenvolveu-se a partir do movimento livre-cambista, que surgiu em meados dos anos 1840 e, depois de declinar na época da reação (1849-1857), ganhou novo impulso a partir do fim dos anos 1850, sobretudo com o "Congresso dos economistas alemães", realizado em Gotha, em 1858. (N. E. A.)

O *Norddeutsche* de Bismarck tinha toda razão quando anunciou, para a satisfação de seu chefe, que o Partido Operário Alemão, no novo programa, abdicara do internacionalismo[16].

II.

"Partindo desses princípios, o Partido Operário Alemão ambiciona, por todos os meios legais, alcançar o *Estado livre – e –* a sociedade socialista, a superação do sistema salarial *juntamente com a lei de bronze do salário* – e – da exploração em todas as suas formas, a eliminação de toda desigualdade social e política."

Ao "Estado livre", voltarei mais adiante.

Pois bem, o Partido Operário Alemão terá, a partir de agora, de acreditar na "lei de bronze do salário"[17] de Lassalle! Para garantir isso, comete-se o disparate de falar em "superação do sistema salarial" (o certo seria: sistema do trabalho assalariado) "*juntamente com* a lei de bronze do salário". Superando-se o trabalho assalariado, é claro que se superam também suas leis, sejam elas "de bronze" ou de esponja. Mas a oposição de Lassalle ao trabalho assalariado gira quase exclusivamente em torno dessa pretensa lei. Por isso, a fim de provar

---

[16] Em sua seção "política", o jornal berlinense *Norddeutsche Allgemeine Zeitung* (n. 67, 20 mar. 1875) tratou do esboço do programa de unificação. Sobre o internacionalismo, escreveu: "A agitação social-democrata tornou-se, em muitos aspectos, mais cautelosa: ela renega a Internacional [...]". (N. E. A.)

[17] Em sua "Carta aberta ao Comitê Central pela convocação de um congresso geral dos operários alemães em Leipzig", Lassalle determinava e fundava a "lei econômica de bronze" com as seguintes palavras: "o salário médio permanece sempre reduzido aos meios de subsistência necessários, os quais, num povo, são comumente exigidos para a sobrevivência e para a procriação. Esse é o ponto em torno do qual o salário real gravita em movimentos pendulares [...]. Ele não pode elevar-se por muito tempo acima dessa média, pois isso ocasionaria, em razão das melhores condições dos trabalhadores, um aumento da população trabalhadora e, com isso, da oferta de trabalho, o que voltaria a pressionar o salário para cima e para baixo de seu estado anterior. O salário também não pode cair duradouramente abaixo do nível desses meios de subsistência, pois assim ocasionaria emigrações, celibato, queda da taxa de natalidade e, por fim, uma diminuição do número de trabalhadores – provocada pela miséria – que, desse modo, diminuiria a oferta de trabalho e, por conseguinte, levaria o salário novamente ao seu estado anterior". (N. E. A.)

o triunfo da seita lassalliana, o "sistema salarial" tem de ser superado "*juntamente com a* lei de bronze do salário", e não sem ela.

Da "lei de bronze do salário", a única coisa própria de Lassalle é o termo "de bronze", tomada de empréstimo das "grandes, eternas, brônzeas leis" de Goethe[18]. O termo *de bronze* é uma senha com a qual os crentes ortodoxos reconhecem uns aos outros. Mas se aceito a lei com o carimbo de Lassalle e, portanto, tal como ele a compreende, então tenho de aceitar também seu fundamento. E qual é ele? Como Lange[19] mostrou logo após a morte de Lassalle, é a teoria malthusiana da população (pregada pelo próprio Lange). Mas, estando certa essa teoria, então mesmo que eu supere cem vezes o trabalho assalariado, ainda assim *não* poderei superar a lei, pois esta rege não apenas o sistema do trabalho assalariado, mas *todo* sistema social. Baseados justamente nisso, os economistas vêm demonstrando, há cinquenta anos ou mais, que o socialismo não pode acabar com a miséria, que é *fundada na natureza*, mas apenas *generalizá-la*, repartindo-a igualmente por toda a superfície da sociedade!

Mas isso não é a questão principal. *Ainda que se desconsidere por completo a falsa* concepção lassalliana acerca da lei, o retrocesso verdadeiramente revoltante consiste no que se segue.

Desde a morte de Lassalle, impôs-se em *nosso* partido o ponto de vista científico de que o *salário* não é o que *aparenta* ser, isto é, o *valor do trabalho* ou seu *preço*, mas apenas uma forma disfarçada do *valor* ou *preço da força de trabalho*. Com isso, foi descartada toda a concepção burguesa do salário até hoje, assim como toda a crítica a ela dirigida, e ficou claro que o trabalhador assalariado só tem permissão de trabalhar para sua própria vida, isto é, *para viver*, desde que trabalhe de graça um determinado tempo para o capitalista (por isso, também para aqueles que, juntamente com ele, consomem a mais-valia); que

---

[18] Na sexta estrofe de seu poema "O divino", Goethe diz: "Segundo eternas, brônzeas/ Grandes leis/ Temos todos de completar/ O círculo de nossa existência". (N. E. A.)

[19] Referência ao livro de Friedrich Albert Lange, *Die Arbeiterfrage in ihrer Bedeutung für Gegenwart und Zukunft* [A questão operária em seu significado para o presente e o futuro] (Duisburg, W. Falk & Volmer, 1865), especialmente p. 108-12. (N. E. A.)

o sistema inteiro da produção capitalista gira em torno do aumento desse trabalho gratuito graças ao prolongamento da jornada de trabalho ou do crescimento da produtividade[20], uma maior pressão sobre a força de trabalho etc.; que, por conseguinte, o sistema do trabalho assalariado é um sistema de escravidão e, mais precisamente, de uma escravidão que se torna tanto mais cruel na medida em que as forças produtivas sociais do trabalho se desenvolvem, sendo indiferente se o trabalhador recebe um pagamento maior ou menor. E depois que esse ponto de vista se estabeleceu cada vez mais em nosso partido, retrocede-se agora aos dogmas de Lassalle, mesmo que hoje seja impossível ignorar que Lassalle *não sabia* o que era o salário, senão que, seguindo os economistas burgueses, tomava a aparência da coisa por sua essência.

É como se, entre escravos que tivessem desvendado o segredo da escravidão e iniciado uma rebelião, um escravo preso às concepções ultrapassadas escrevesse no programa da rebelião: "A escravidão tem de ser abolida, pois o custo de manutenção dos escravos não pode, no sistema de escravidão, ultrapassar certo limite máximo, bastante baixo"!

O simples fato de que os representantes de nosso partido tenham sido capazes de cometer um atentado tão monstruoso contra o ponto de vista disseminado na massa do partido mostra com que **criminosa** leviandade, **com que escrúpulos** eles se puseram a elaborar esse programa de compromisso!

No lugar da vaga fraseologia que conclui o parágrafo – "pela eliminação de toda desigualdade social e política" –, dever-se-ia dizer que, com a abolição das diferenças de classes, desaparece por si mesma toda desigualdade social e política delas derivada.

III.

"O Partido Operário Alemão exige, *para conduzir à solução da questão social*, a criação de cooperativas de produção com *subvenção estatal*

20 Em 1891, acrescentou-se "ou". (N. E. A.)

e sob o controle democrático do povo trabalhador. Na indústria e na agricultura, as cooperativas de produção *devem ser criadas* em proporções tais *que delas surja a organização socialista do trabalho total*."

Depois da "lei de bronze do salário" de Lassalle, temos agora a panaceia do profeta! E ela é "conduzida" de forma digna! O lugar da luta de classes existente é tomado por uma fraseologia de escrevinhador de jornal – "*a* questão social", a cuja "*solução*" se "conduz". A organização socialista do trabalho total, em vez de surgir do processo revolucionário de transformação da sociedade, surge da "subvenção estatal", subvenção que o Estado concede às cooperativas de produção "criadas" por *ele*, e não pelos trabalhadores. É algo digno da presunção de Lassalle imaginar que, por meio de subvenção estatal, seja possível construir uma nova sociedade da mesma forma que se constrói uma nova ferrovia!

Por **um resto de** escrúpulos, coloca-se "a subvenção estatal" – "sob o controle democrático do povo trabalhador".

Em primeiro lugar, o "povo trabalhador" na Alemanha consiste majoritariamente em camponeses, e não em proletários.

Em segundo lugar, "democrático", traduzido para o alemão, significa "sob o governo do povo". Mas o que quer dizer o "controle sob o governo do povo do povo trabalhador"? E ainda mais quando se trata de um povo trabalhador que, ao apresentar essas exigências ao Estado, expressa sua plena consciência de que não só não está no poder, como não está maduro para ele!

Não é necessário entrar na crítica da receita prescrita por Buchez[21], sob Luís Filipe, em *oposição* aos socialistas franceses e apropriada

---

[21] Philippe-Joseph-Benjamin Buchez, que, com exceção de alguns precursores isolados, é considerado o fundador das cooperativas de produção para os trabalhadores, propagou suas ideias na revista *Européen* desde o início dos anos 1830. Ao contrário de Louis Blanc, para ele o Estado não desempenhava um papel tão predominante na organização do trabalho e, como fornecedor de crédito, ele o desconsiderou cada vez mais ao longo dos anos. Apesar disso, sua revista *L'Atelier*, fundada em 1840, em Paris, propagou a ideia da formação de cooperativas de produção com ajuda do Estado, e o grande número de associações que foram fundadas após a revolução de fevereiro de 1848 repousavam, em parte, sobre esse princípio. É difícil determinar com certeza que influência imediata as ideias de Buchez podem ter tido sobre Las-

pelos trabalhadores reacionários do *Atelier*. O pior golpe também não é ter escrito essa cura miraculosa no programa, mas simplesmente ter regredido do ponto de vista do movimento de classes para o do movimento de seitas.

O fato de que os trabalhadores queiram criar as condições da produção coletiva em escala social e, de início, em seu próprio país, portanto, em escala nacional, significa apenas que eles trabalham para subverter as atuais condições de produção e não têm nenhuma relação com a fundação de sociedades cooperativas subvencionadas pelo Estado! No que diz respeito às atuais sociedades cooperativas, elas *só* têm valor na medida em que são criações dos trabalhadores e independentes, não sendo protegidas nem pelos governos nem pelos burgueses.

IV.

Chego, agora, à parte democrática.

A) "*Base livre do Estado.*"

Já na seção II, o Partido Operário Alemão pretende alcançar "o Estado livre".

Estado livre, o que é isso?

---

salle. A nosso ver, não há indicação direta disso nas obras e nos escritos legados por ele. Embora não reste dúvida de que Lassalle conhecia os textos de Blanc, em que ocasionalmente se encontram ideias de Buchez, o fato é que ele sempre negou uma identificação de sua teoria com as concepções de Blanc. Mas, como Marx salientou numa carta a Engels em setembro de 1868, há uma grande semelhança entre a "descoberta lassalliana" e as respectivas passagens da brochura e do artigo programático no primeiro número da *L'Atelier*, de setembro de 1840, especialmente no fato de cogitar uma reforma eleitoral como pressuposto para a realização gradual da ideia cooperativa. A tendência das concepções desenvolvidas ali era acessível a Lassalle, por exemplo: o livro de Lorenz von Stein, *Geschichte der socialen Bewegung in Frankreich* [História do movimento social na França] (Leipzig, O. Wigand, 1850, v. 2), que ele muito provavelmente conhecia. De qualquer modo, para Marx e Engels a proposta lassalliana remete a Buchez (e não a Blanc, como ocorria na imprensa liberal da época e nas biografias posteriores de Lassalle) pelo motivo de que tanto Buchez quanto Lassalle partiam de ideias reformistas e mantinham uma postura hostil em relação ao caráter revolucionário do movimento operário. (N. E. A.)

Tornar o Estado "livre" não é de modo algum o objetivo de trabalhadores já libertos da estreita consciência do súdito. No Império alemão, o "Estado" é quase tão "livre" quanto na Rússia. A liberdade consiste em converter o Estado, de órgão que subordina a sociedade em órgão totalmente subordinado a ela, e ainda hoje as formas de Estado são mais ou menos livres, de acordo com o grau em que limitam a "liberdade do Estado".

O Partido Operário Alemão – no caso de adotar esse programa – mostra que as ideias socialistas não penetraram nem sequer a camada mais superficial de sua pele, quando considera o Estado um ser autônomo, dotado de seus próprios "*fundamentos espirituais, morais, livres*", em vez de afirmar a sociedade existente (e isso vale para qualquer sociedade futura) como *base* do *Estado* existente (ou futuro, para uma sociedade futura).

Além disso, o que dizer do abuso leviano que o programa faz das palavras "*Estado atual*", "*sociedade atual*", e o equívoco ainda mais leviano que ele cria sobre o Estado ao qual dirige suas reivindicações!

A "sociedade atual" é a sociedade capitalista, que, em todos os países civilizados, existe mais ou menos livre dos elementos medievais, mais ou menos modificada pelo desenvolvimento histórico particular de cada país, mais ou menos desenvolvida. O "Estado atual", ao contrário, muda juntamente com os limites territoriais do país. No Império prussiano-alemão, o Estado é diferente daquele da Suíça; na Inglaterra, ele é diferente daquele dos Estados Unidos. "O Estado atual" é uma ficção.

No entanto, os diferentes Estados dos diferentes países civilizados, apesar de suas variadas configurações, têm em comum o fato de estarem assentados sobre o solo da moderna sociedade burguesa, mais ou menos desenvolvida em termos capitalistas. É o que confere a eles certas características comuns essenciais. Nesse sentido, pode-se falar em "atual ordenamento estatal [*Staatswesen*]" em contraste com o futuro, quando sua raiz atual, a sociedade burguesa, tiver desaparecido.

Pergunta-se, então, por que transformações passará[22] o ordenamento estatal numa sociedade comunista? Em outras palavras, quais funções sociais, análogas às atuais funções estatais, nela permanecerão? Essa pergunta só pode ser respondida de modo científico, e não é associando de mil maneiras diferentes a palavra povo à palavra Estado que se avançará um pulo de pulga na solução do problema.

Entre a sociedade capitalista e a comunista, situa-se o período da transformação revolucionária de uma na outra. A ele corresponde também um período político de transição, cujo Estado não pode ser senão a *ditadura revolucionária do proletariado.*

Mas o programa é alheio tanto a esta última quanto ao futuro ordenamento estatal da sociedade comunista.

Suas reivindicações políticas não contêm mais do que a velha cantilena democrática, conhecida de todos: sufrágio universal, legislação direta, direito do povo, milícia popular etc. São um mero eco do Partido Popular burguês, da Liga da Paz e da Liberdade.

Não passam de reivindicações que, quando não são exageros fantasiosos da imaginação, já estão *realizadas*. Acontece que o Estado que as pôs em prática não se encontra dentro das fronteiras do Império alemão, mas na Suíça, nos Estados Unidos etc. Esse tipo de "Estado futuro" é o *Estado atual*, embora ele exista fora "dos marcos" do Império alemão.

Mas esquece-se uma coisa. Como o Partido Operário Alemão declara expressamente mover-se no interior "do Estado nacional atual", portanto, de seu próprio Estado, o Império prussiano-alemão – do contrário, suas reivindicações seriam, em grande parte, sem sentido, pois só se reivindica aquilo que ainda[23] não se tem –, então ele não devia ter esquecido o principal, isto é, que todas essas lindas miudezas se baseiam no reconhecimento da assim chamada soberania popular e que, portanto, só têm lugar numa *república democrática*.

---

[22] Em 1891, "que transformações sofrerá". (N. E. A.)

[23] Em 1891, falta a palavra "ainda". (N. E. A.)

Se não se tem a coragem[24] – e sabiamente, pois as condições exigem cautela – de reivindicar a república democrática, como fizeram os programas operários franceses sob Luís Filipe e Luís Napoleão[25], não se deveria recorrer ao truque, **nem "honrado"**[26] **nem digno,** de exigir coisas que só têm sentido numa república democrática de um Estado que não é mais do que um despotismo militar com armação burocrática e blindagem policial, enfeitado de formas parlamentares, misturado com ingredientes feudais e, ao mesmo tempo[27], já influenciado pela burguesia; **e ainda por cima assegurar, a esse Estado, que se supõe poder impor-lhe tais coisas "por meios legais"!**

Até mesmo a democracia vulgar, que vê na república democrática o reino milenar e nem sequer suspeita de que é justamente nessa última forma de Estado da sociedade burguesa que a luta de classes será definitivamente travada, mesmo ela está muito acima desse tipo de democratismo, que se move dentro dos limites do que é autorizado pela polícia e desautorizado pela lógica.

---

[24] Em 1891, "Se não se pode". (N. E. A.)

[25] Sob o governo do rei Luís Filipe (1830-1848), a república era reivindicada tanto pelas diversas sociedades secretas dos anos 1830 quanto, mais tarde, pelos socialistas reunidos em torno do jornal *La Réforme*, de Paris. Exemplos disso são o programa redigido por Louis Auguste Blanqui em 2 de fevereiro de 1834, assim como o programa redigido às vésperas da Revolução de Fevereiro e que conta com as assinaturas de Louis Blanc, Alexandre-Auguste Ledru-Rollin e Ferdinand Flocon (ver Louis Blanc, *Pages d'histoire de la Révolution de Février* [Páginas da história da Revolução de Fevereiro], Bruxelas, Au Bureau du Nouveau Monde, 1850, p. 16-8). Com o recrudescimento da luta de classes sob o domínio bonapartista de Napoleão III (1852-1870), no começo dos anos 1860, fortaleceu-se também o movimento republicano, que em grande parte era formado por trabalhadores. Ele encontrou sua expressão, entre outros, no programático "Manifesto eleitoral" de 9 de março de 1864, redigido por Henri Louis Tolain, um dos seguidores de Pierre-Joseph Proudhon e membro da Internacional até 1871. (N. E. A.)

[26] Em oposição à "desonrada política" (cf. supra, p. 26, nota 3) de alguns líderes da Associação Geral dos Trabalhadores Alemães (AGTA), a convocação para a assembleia de fundação do Partido Operário Social-Democrata Alemão, em 17 de julho de 1869, dirigia-se a "todos os sociais-democratas honrados". Nos anos seguintes, o partido continuou a usar o termo para diferenciar-se da AGTA. Esta, por sua vez, empregava o termo entre aspas, principalmente em seu jornal *Social-Demokrat*, como uma maneira de zombar dos membros do partido. (N. E. A.)

[27] Em 1891, faltam as palavras "ao mesmo tempo". (N. E. A.)

Que por "Estado" entende-se, na verdade, a máquina governamental ou o Estado, na medida em que, por meio da divisão do trabalho, forma um organismo próprio, separado da sociedade, já o demonstram estas palavras: "O Partido Operário Alemão exige, *como base econômica do Estado*, um imposto único e progressivo sobre a renda etc.".

Os impostos são a base econômica da maquinaria governamental, e nada mais. No Estado do futuro, já existente na Suíça, essa reivindicação está bastante realizada. O imposto sobre a renda pressupõe as diferentes fontes de renda das diferentes classes sociais, logo pressupõe a sociedade capitalista. Não é de estranhar, pois, que os *financial reformers* de Liverpool[28] – burgueses, tendo à sua frente o irmão de Gladstone – formulem a mesma reivindicação que o programa.

B) "O Partido Operário Alemão exige, como base espiritual e moral do Estado:

1) Educação popular universal e igual sob incumbência do Estado. Escolarização universal obrigatória. Instrução gratuita."

Educação popular igual? O que se entende por essas palavras? Crê-se que na sociedade atual (e apenas ela está em questão aqui) a educação possa ser *igual* para todas as classes? Ou se exige que as classes altas também devam ser forçadamente reduzidas à módica educação da escola pública, a única compatível com as condições econômicas não só do trabalhador assalariado, mas também do camponês?

"Escolarização universal obrigatória. Instrução gratuita." A primeira existe na Alemanha, a segunda na Suíça [e] nos Estados Unidos, para escolas públicas. Que em alguns estados deste último também sejam "gratuitas" as instituições de ensino "superior" significa apenas, na verdade, que nesses lugares os custos da educação das clas-

---

[28] A *Liverpool Financial Reform Association*, cuja presidência foi ocupada durante muitos anos por Robertson Gladstone, tinha como objetivo: "Defender a adoção de um sistema simples e equitativo de taxação direta, que incida de modo justo sobre a propriedade e a renda, no lugar das atuais taxas sobre as mercadorias, taxas desiguais, complicadas e coletadas de modo caro" (*Tracts of the Liverpool Financial Reform Association*, Liverpool, Standard of Freedom, 1851, p. vii). (N. E. A.)

ses altas são cobertos pelo fundo geral dos impostos. O mesmo vale, diga-se de passagem, para a "assistência jurídica gratuita" exigida no artigo 5. A justiça criminal é gratuita em toda parte; a justiça civil gira quase exclusivamente em torno de conflitos de propriedade, dizendo respeito, portanto, quase exclusivamente às classes proprietárias. Elas devem mover seus processos à custa do tesouro público?

O parágrafo sobre as escolas devia ao menos ter exigido escolas técnicas (teóricas e práticas) combinadas com a escola pública.

Absolutamente condenável é uma "educação popular sob incumbência do Estado". Uma coisa é estabelecer, por uma lei geral, os recursos das escolas públicas, a qualificação do pessoal docente, os currículos etc. e, como ocorre nos Estados Unidos, controlar a execução dessas prescrições legais por meio de inspetores estatais, outra muito diferente é conferir ao Estado o papel de educador do povo! O governo e a Igreja devem antes ser excluídos de qualquer influência sobre a escola. No Império prussiano-alemão (e não se escapa da questão com o cômodo subterfúgio de que se trata de um "Estado futuro"; já vimos no que este consiste), é o Estado que, ao contrário, necessita receber do povo uma educação muito rigorosa.

Apesar de toda sua estridência democrática, o programa está totalmente infestado da credulidade servil no Estado que caracteriza a seita lassalliana, ou, o que não é melhor, da superstição democrática, ou, antes, consiste num arranjo entre esses dois tipos de superstição, ambos igualmente distantes do socialismo.

"*Liberdade da ciência*" já consta de um parágrafo da constituição prussiana[29]. Portanto, o que isso faz aqui?

"*Liberdade de consciência*"! Nestes tempos de *Kulturkampf**, se se quisesse recordar ao liberalismo suas velhas palavras de ordem, isso

[29] O artigo 20 da Constituição do Estado Prussiano, de 31 de janeiro de 1850, diz: "A ciência e seu ensino são livres" (*Gesetz-Sammlung für die Königlichen Preussischen Staaten* [Código legal dos Estados Reais Prussianos], 1850, n. 3). (N. E. A.)

* *Kulturkampf* ("combate cultural") é a designação dada ao conflito que se estendeu de 1871 a 1878 entre o Império Alemão e a Igreja Católica, provocado por uma série de políticas de Bismarck a favor da separação entre o Estado e a Igreja. (N. T.)

só poderia se feito da seguinte forma: "cada um tem de poder satisfazer suas necessidades religiosas, assim como as corporais, sem que a polícia meta aí o seu nariz". Mas o Partido Operário devia ter aproveitado a ocasião para declarar sua convicção de que a "liberdade de consciência" burguesa não vai além da tolerância entre todas as formas possíveis de *liberdade religiosa de consciência* e que ele pretende, antes, libertar a consciência de qualquer assombração religiosa. Contudo, achou-se melhor não extrapolar o nível "burguês".

E chego assim ao fim, pois o apêndice que se segue ao programa não constitui uma parte *característica* deste. Serei também bastante breve.

2) "Jornada normal de trabalho."

Em nenhum outro país o partido operário limita-se a uma reivindicação tão vaga, mas sempre fixa a duração da jornada de trabalho que, em dadas circunstâncias, considera normal.

3) "Limitação do trabalho das mulheres e proibição do trabalho infantil."

Ao se referir à sua duração, às pausas etc., a regulamentação da jornada de trabalho já tem de incluir a limitação do trabalho das mulheres; do contrário, ela só pode significar a exclusão do trabalho das mulheres dos ramos de produção particularmente nocivos ao corpo feminino ou moralmente ofensivos a esse sexo. Se era isso que se queria dizer, então deveria ter sido dito.

"Proibição do trabalho infantil"! Aqui, era absolutamente necessário determinar o *limite de idade*.

A *proibição geral* do trabalho infantil é incompatível com a existência da grande indústria e, por essa razão, um desejo vazio e piedoso.

A aplicação dessa proibição – se fosse possível – seria reacionária, uma vez que, com uma rígida regulamentação da jornada de trabalho segundo as diferentes faixas etárias e as demais medidas preventivas para a proteção das crianças, a combinação de trabalho produtivo com instrução, desde tenra idade, é um dos mais poderosos meios de transformação da sociedade atual.

4) "Supervisão estatal da indústria fabril, oficinal e doméstica."

Diante do Estado prussiano-alemão, dever-se-ia exigir taxativamente que os inspetores só possam ser removidos por medida judicial; que todo trabalhador possa denunciá-los aos tribunais por violação do dever; que eles tenham de pertencer à classe médica.

5) "Regulamentação do trabalho prisional."

Reivindicação mesquinha num programa operário geral. De qualquer forma, dever-se-ia afirmar claramente que não se pretende que os criminosos comuns, por medo da concorrência, sejam tratados como gado, e que não se quer privá-los precisamente de seu único meio de correção: o trabalho produtivo. Isso é o mínimo que se espera de socialistas.

6) "Uma lei de responsabilidade civil eficaz."

Era preciso dizer o que se entende por uma lei de responsabilidade civil "eficaz".

Note-se, de passagem, que, ao tratar da jornada normal de trabalho, desconsiderou-se a parte da legislação fabril referente às medidas sanitárias e aos meios de proteção contra acidentes etc. A lei de responsabilidade civil só entra em ação quando se infringem essas prescrições.

Em suma, também este apêndice se distingue por sua redação desleixada.

Dixi et salvavi animam meam[30].

---

[30] Referência a sentença bíblica, segundo a Vulgata. A passagem diz: "Quando eu disser ao ímpio: 'Tu tens de morrer!', e tu não o advertires [...] para salvar sua vida, então o ímpio morrerá por sua iniquidade, mas requererei seu sangue de tua mão. Mas se advertires o ímpio e ele não se converter de sua impiedade e de seu mau caminho, ele morrerá por sua iniquidade, mas tu salvaste tua alma" (Bíblia Sagrada, Ezequiel 3, 18-9). (N. E. A.)

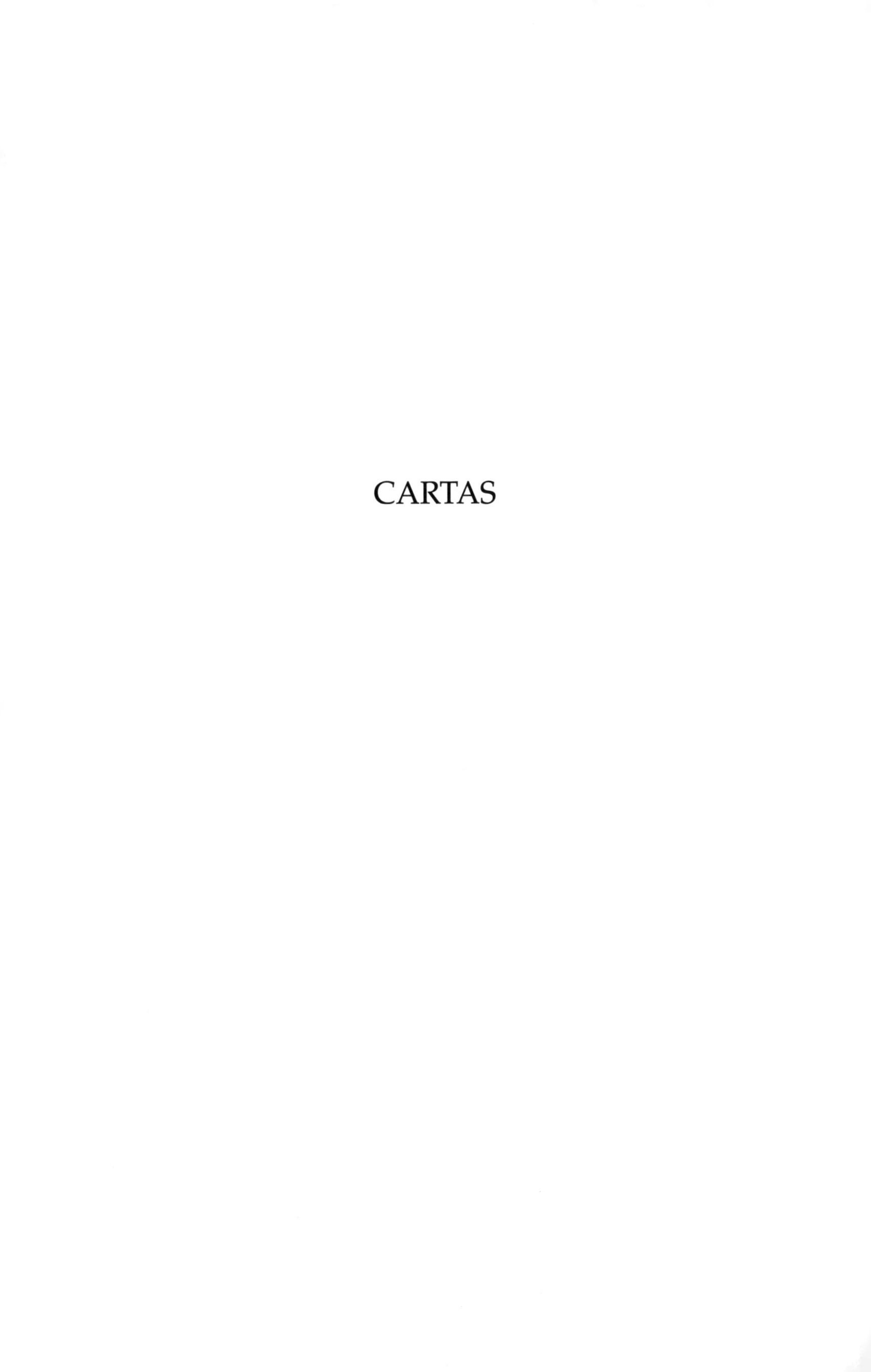

CARTAS

Friedrich Engels a August Bebel

Londres, 18-28 de março de 1875

Caro Bebel!

Recebi sua carta de 23 de fevereiro e folgo em saber que sua saúde física vai bem.

Você me pergunta o que achamos da questão da unificação. Infelizmente, estamos na mesma situação que você. Nem Liebknecht nem ninguém nos deu qualquer informação, e assim também não sabemos mais do que o que sai nos jornais, e neles não se diz nada há cerca de oito dias, quando recebemos o projeto de programa. Este nos deixou, certamente, bastante aturdidos.

Nosso partido estendeu tão frequentemente a mão aos lassallianos para a conciliação, ou ao menos para selar um acordo, e os Hasenclever, Hasselmann e Tölcke a rechaçaram com tanta persistência e arrogância que qualquer criança chegaria à conclusão de que, se esses senhores agora nos procuram para oferecer conciliação, é porque devem estar em grandes apuros. Dado o caráter sobejamente conhecido dessa gente, nosso dever era aproveitar esses apuros para obter todo tipo de garantias que pudessem impedi-los de usar nosso partido para restaurar sua abalada reputação na opinião dos trabalhadores. Eles deveriam ter sido recebidos de modo extremamente frio e precavido, e a unificação deveria ter como condição a disposição de abandonar suas palavras de ordem sectárias e seu auxílio estatal, assim como de aceitar o programa de Eisenach de 1869 ou uma reformulação atualizada deste último. Nosso partido não tem *absolutamente nada a aprender* com os lassallianos na esfera teórica, isto é, na esfera decisiva para o programa, mas os lassallianos têm certamente muito a aprender com o partido; a primeira condição para a unificação deveria ter sido que eles deixassem de ser sectários, lassallianos e, sobretudo, que renunciassem à panaceia universal da assistência estatal, ou ao menos que a reconhecessem apenas como uma medida transitória e secundária, entre tantas outras possíveis. O projeto de programa prova que nossa gente, que no que diz respeito à teoria está cem léguas à frente dos lassallianos, encontra-se muito atrás deles em esperteza política; os "honrados"* foram mais uma vez burlados pelos desonrados.

Primeiro, considere-se a altissonante, porém historicamente falsa fraseologia lassalliana: diante da classe trabalhadora, todas as outras classes são uma só massa reacionária. Essa frase só é verdadeira em casos excepcionais, por exemplo, numa revolução do proletariado, como a Comuna, ou num país onde não apenas a burguesia formou o Estado e a sociedade segundo sua imagem, mas, depois dela, também a pequena burguesia conduziu esse processo de formação até suas últimas consequências. Se na Alemanha, por exemplo, a pequena burguesia pertence a essa massa reacionária, como se explica que lá o Partido Operário Social-Democrata tenha andado tantos anos de mãos dadas com o Partido Popular? Como pode o *Volksstaat* extrair quase todo o seu conteúdo político do pequeno-burguês democrata *Frankfurter Zeitung*? E como se pode encontrar nesse mesmo programa não menos do que sete reivindicações que coincidem direta e literalmente com o programa do Partido Popular e da democracia pequeno-burguesa? Refiro-me às sete reivindicações políticas: 1 a 5 e 1 e 2, das quais não há nenhuma que não seja democrata-*burguesa*.

Em segundo lugar, o princípio do internacionalismo do movimento operário é, na prática, inteiramente negado para o presente, e isso

---

* Cf. supra, p. 44, nota 26. (N. T.)

pelas pessoas que por cinco anos e sob as mais duras circunstâncias afirmaram-no da forma mais gloriosa. A posição dos trabalhadores alemães no topo do movimento europeu repousa *essencialmente* sobre sua postura verdadeiramente internacional durante a guerra; nenhum outro proletariado teria se portado tão bem. E agora esse princípio deve ser negado por eles, no momento em que por toda parte no estrangeiro os trabalhadores o ressaltam na mesma medida em que os governos se esforçam para reprimir sua participação numa organização! E o que resta do internacionalismo do movimento operário? A pálida perspectiva, nem mesmo de uma ulterior ação conjunta dos trabalhadores europeus para sua libertação, mas sim de uma futura "fraternização internacional dos povos", uns "Estados Unidos da Europa" dos burgueses da Liga da Paz*!

Naturalmente, não era necessário falar da Internacional como tal. Mas o mínimo que se esperava era não haver nenhum retrocesso em relação ao programa de 1869** e, por exemplo, dizer: *embora* o Partido Operário Alemão atue *inicialmente* no interior das fronteiras estatais a ele impostas (ele não tem o direito de falar em nome do proletariado europeu, e muito menos de dizer falsidades), ele está consciente de sua solidariedade com os trabalhadores de todos os países e, além disso, estará sempre pronto, como até então esteve, a cumprir as obrigações que lhe são impostas por essa solidariedade. Tais obrigações consistem, por exemplo – e isso vale também para quem não se proclama ou não se considera parte da "Internacional" –, em prestar auxílio, recusar-se a integrar reforços em casos de greves, assegurar que os órgãos partidários mantenham os trabalhadores alemães informados sobre o movimento estrangeiro, promover agitação contra guerras de gabinete iminentes ou em fase germinal e, durante tais guerras, proceder de acordo com as medidas implementadas de modo exemplar em 1870 e 1871 etc.

---

* Cf. supra, p. 35, nota 13. (N. T.)

** Isto é, o programa de Eisenach (cf. infra, p. 83-5). (N. T.)

Em terceiro lugar, nossa gente se deixou impor a "lei de bronze"* lassalliana, que repousa sobre uma visão econômica totalmente ultrapassada, ou seja, a de que o trabalhador recebe em média apenas o *mínimo* do salário, e precisamente porque, segundo a teoria da população de Malthus**, há trabalhadores demais (esse era o raciocínio de Lassalle). Marx, em *O capital*, demonstrou em detalhe que as leis que regulam o salário são extremamente complexas, tendo como fator decisivo, conforme as circunstâncias, ora isto, ora aquilo, de modo que elas não são de modo algum brônzeas, mas, ao contrário, bastante elásticas, e a questão não se resolve em absoluto com algumas palavras, como Lassalle imaginava. A fundamentação malthusiana da lei, que Lassalle copia de Malthus e Ricardo (falsificando este último), tal como se encontra, por exemplo, no *Arbeiterlesebuch****, página 5, citado de outra brochura de Lassalle, é completamente refutada por Marx na seção sobre o "Processo de acumulação do capital". Adotando-se a "lei de bronze" de Lassalle, portanto, fica-se comprometido com uma proposição e uma fundamentação falsas da própria lei.

Em quarto lugar, o programa coloca, como *única* reivindicação *social*, a assistência estatal lassalliana em sua forma mais crua, tal como Lassalle a plagiou de Buchez. E isso depois de Bracke ter exposto acertadamente essa reivindicação em toda a sua nulidade; depois que quase todos, se não todos os oradores de nosso partido, viram-se na necessidade de se manifestar contra essa "assistência estatal"! Nosso partido não poderia ter se humilhado mais. O inter-

---

* Cf. supra, p. 37, nota 17. (N. T.)

** Teoria do economista inglês Thomas Robert Malthus, que atribuía a pobreza e a miséria ao aumento da população. Segundo ele, os meios de existência crescem mais lentamente do que a população e tornam-se progressivamente insuficientes. Como solução do problema, Malthus defendia a limitação do crescimento da população por ação do Estado. (N. T.)

*** Ver Ferdinand Lassalle, *Arbeiterselebuch. Rede Lassalles zu Frankfurt am Main am 17. und 19. Mai 1864. Nach dem stenographischen Bericht* [Manual operário. Discurso de Lassalle em Frankfurt, em 17 e 19 de maio de 1864. De acordo com as notas estenográficas] (4. ed., Leipzig, s. ed., 1871). (N. T.)

nacionalismo foi rebaixado a Amand Goegg, e o socialismo ao republicano-burguês Buchez, que *confrontou os socialistas* com essa reivindicação para suplantá-los!

Mas a "assistência estatal" em sentido lassalliano é, na melhor das hipóteses, apenas *uma* medida, entre tantas outras, para atingir o objetivo aqui designado com estas frouxas palavras: "para conduzir à solução da questão social", como se, para nós, ainda houvesse uma *questão* social não resolvida na teoria! Quando, portanto, diz-se: "O Partido Operário Alemão luta pela supressão do trabalho assalariado e, com isso, das distinções de classe por meio da implementação da produção cooperativa na indústria e na agricultura, em escala nacional; apoia toda medida direcionada à consecução desse objetivo!", nenhum lassalliano pode ter algo contra isso.

Em quinto lugar, nenhuma palavra é dita sobre a organização da classe trabalhadora como classe por meio dos sindicatos. E esse é um ponto absolutamente essencial, pois se trata propriamente da organização de classe do proletariado no seio da qual ele luta suas batalhas diárias contra o capital, na qual ele se instrui e que hoje não pode mais ser esmagada, nem mesmo pela mais terrível reação (como é o caso atualmente em Paris). Pela importância que essa organização alcança na Alemanha, pensamos que seria absolutamente necessário mencioná-la no programa e, na medida do possível, reservar-lhe um espaço na organização do partido.

Nossa gente fez tudo isso para agradar aos lassallianos. E qual foi a concessão feita por eles? Que uma porção de *reivindicações puramente democráticas* bastante confusas figurasse no programa, consistindo muitas delas em meros modismos, como, por exemplo, a "legislação pelo povo", que existe na Suíça e, lá, gera mais prejuízos do que benefícios, se é que gera alguma coisa. *Administração* pelo povo, isso sim faria algum sentido. Falta também a primeira condição de toda liberdade: que todos os funcionários públicos sejam responsáveis por todas as suas ações oficiais em relação a todo cidadão perante os tribunais comuns e segundo a legislação geral. E nem é preciso mencionar o fato de que "liberdade da ciência", "liberdade de consciência" são reivindicações que figuram em todo programa liberal-burguês e, portanto, aparecem aqui fora de lugar.

O Estado popular livre transformou-se no Estado livre. Em seu sentido gramatical, um Estado livre é aquele Estado que é livre em relação a seus cidadãos, portanto, um Estado com governo despótico. Dever-se-ia ter deixado de lado todo esse palavreado sobre o Estado, sobretudo depois da Comuna, que já não era um Estado em sentido próprio. O *Estado popular* foi sobejamente jogado em nossa cara pelos anarquistas, embora já o escrito de *Marx contra Proudhon** e, mais tarde, o *Manifesto Comunista* digam de maneira explícita que, com a instauração da ordem socialista da sociedade, o Estado dissolve-se por si só e desaparece. Não sendo o Estado mais do que uma instituição transitória, da qual alguém se serve na luta, na revolução, para submeter violentamente seus adversários, então é puro absurdo falar de um Estado popular livre: enquanto o proletariado ainda *faz uso do* Estado, ele o usa não no interesse da liberdade, mas para submeter seus adversários e, a partir do momento em que se pode falar em liberdade, o Estado deixa de existir como tal. Por isso, nossa proposta seria substituir, por toda parte, a palavra *Estado* por *Gemeinwesen***, uma boa e velha palavra alemã, que pode muito bem servir como equivalente do francês *commune****.

"Eliminação de toda desigualdade social e política", em vez de "superação de toda distinção de classe", é também uma expressão muito duvidosa. De um país para outro, de uma província para outra e até mesmo de um lugar para outro, sempre existirá *certa* desigualdade de condições de vida, que poderá ser reduzida a um mínimo, mas nunca completamente eliminada. Os habitantes dos Alpes terão sempre condições de vida diferentes das dos povos das planícies. A representação da sociedade socialista como o reino da *igual-*

* Referência à obra *A miséria da filosofia* (São Paulo, Expressão Popular, 2009), de Marx, publicada em 1847. (N. T.)

** Comunidade. (N. T.)

*** Comuna. (N. T.)

dade é uma representação unilateral francesa, baseada na velha "liberdade, igualdade, fraternidade", uma representação que teve sua razão de ser como *fase de desenvolvimento*, em seu tempo e em seu lugar, mas que agora, como todas as unilateralidades das primeiras escolas socialistas, deveria ser superada, uma vez que serve apenas para provocar confusão nos cérebros e porque, além disso, descobriram-se formas mais precisas de tratar a questão.

Termino aqui, embora quase toda palavra nesse programa – escrito, além do mais, de modo insípido e indolente – mereça ser criticada. A situação é tal que, caso ele seja adotado, Marx e eu *nunca* reconheceremos um *novo* partido fundado sobre essas bases e teremos de refletir seriamente sobre a posição – inclusive pública – que adotaremos em relação a ele. Não esqueça que, no estrangeiro, *somos* responsabilizados por absolutamente todas as declarações e ações do Partido Social-Democrata Alemão. Assim, por exemplo, em sua obra *Estatismo e anarquia**, Bakunin nos responsabiliza por cada palavra irrefletida que Liebknecht pronunciou e escreveu desde a fundação de seu *Demokratisches Wochenblatt*. As pessoas chegam a imaginar que comandamos daqui a história inteira, enquanto você sabe tão bem quanto eu que quase nunca nos envolvemos nos assuntos do partido e, quando o fizemos, foi apenas para corrigir, na medida do possível, os erros que haviam sido cometidos e, ainda assim, apenas os erros *teóricos*. Mas você mesmo compreenderá que esse programa representa um ponto crucial, que poderia facilmente nos forçar a renunciar a toda responsabilidade em relação ao partido que o adote.

Em geral, importa menos o programa oficial de um partido do que seus atos. Mas um *novo* programa é sempre uma bandeira que se hasteia publicamente e a partir da qual o mundo exterior julga o partido. Assim, ele não deveria representar de forma alguma um retrocesso, como esse representa em relação ao Programa de Eisenach. Também se deveria levar em conta o que os trabalhadores de outros

* Cf. supra, p. 20, nota *. (N. T.)

países dirão sobre esse programa; que impressão causará essa genuflexão de todo o proletariado socialista alemão perante o lassallianismo.

Além disso, estou convencido de que uma unificação sobre essa *base* não durará nem sequer um ano. Os melhores cérebros de nosso partido estarão dispostos a decorar e recitar as teses lassallianas sobre a lei de bronze do salário e a assistência estatal? Eu gostaria de saber se você, por exemplo, aceitaria fazer isso! E se eles o fizessem, seriam vaiados pelos ouvintes. E estou certo de que os lassallianos se aferram justamente a *essa* parte do programa, tal como Shylock a sua libra de carne. A cisão virá; mas então teremos devolvido "a honra" aos Hasselmann, aos Hasenclever, aos Tölcke e consortes; sairemos da cisão mais fracos e os lassallianos, mais fortes; nosso partido terá perdido a virgindade política e jamais poderá voltar a combater com audácia as fraseologias de Lassalle, as quais o próprio partido terá mantido inscritas em suas bandeiras por algum tempo; e se os lassallianos voltarem a dizer que formam o mais autêntico e único partido operário e que nossos homens não passam de burgueses, lá estará esse programa para comprová-lo. Então todas as medidas socialistas serão *suas*, e o *nosso* partido não terá acrescentado mais do que as reivindicações da democracia pequeno-burguesa, por eles também considerada, no mesmo programa, como parte da "massa reacionária"!

Retardei o envio desta carta, pois sei que você só estará em liberdade no dia 1º de abril, em honra ao aniversário de Bismarck, e eu não queria correr o risco de uma interceptação, tentando passá-la de contrabando. E eis que agora me chega uma carta de Bracke, que também faz sérias objeções ao programa e pergunta nossa opinião. Por isso, por economia de tempo, encaminho esta carta a ele por seu intermédio, para que ele também a leia e, desse modo, eu não precise escrever tudo de novo. De resto, também expus minha opinião a Ramm; a Liebknecht, escrevi apenas brevemente. A ele, não o perdoo não nos ter informado *uma única palavra* de todo o assunto (enquanto Ramm e outros acreditavam que ele nos havia informado corretamente), até que, por assim dizer, já era tarde demais. É certo que ele sempre procedeu desse modo – o que explica as inúmeras correspondências desagradáveis que tanto Marx como eu trocamos com ele –, mas desta vez a coisa é grave demais e *decididamente não o acompanharemos*.

Veja se há a possibilidade de você vir para cá no verão. Você será meu hóspede, é claro, e, se o tempo estiver bom, poderemos passar uns dias na praia, o que lhe fará muito bem, após um tão longo encarceramento.

Cordialmente,
F. E.

[*P.S.*] Marx mudou-se recentemente. Seu novo endereço é Maitland Park Crescent, 41, Londres.

Friedrich Engels a Wilhelm Bracke

Londres, 11 de outubro de 1875

Caro Bracke!

Retive a resposta a sua última carta (a última é de 28 de junho) até agora, porque M[arx] e eu não estivemos juntos em seis semanas – ele estava em Karlsbad e eu, no litoral, onde não pude ler o *Volksstaat* – e também porque eu quis aguardar para ver como a nova unificação e a comissão[1] que foi formada se comportariam na prática.

Estamos de pleno acordo com você que Liebknecht atropelou tudo com sua pressa de chegar à unificação e pagar por ela *qualquer* preço. Mesmo que isso fosse necessário, não era preciso dizer ou mostrar nada à outra parte. Desse modo, é-se obrigado depois a justificar qualquer erro aos outros. Depois de o congresso de unificação ter sido decidido e anunciado, ele não podia fracassar de jeito nenhum, e para isso era preciso mais uma vez abrir mão de pontos essenciais. Você tem toda a razão: essa unificação traz em si o germe da cisão, e ficarei feliz se, então, *apenas* os incuráveis fanáticos caírem, mas não todo um grupo de homens corajosos que, se bem instruídos,

---

[1] No Congresso de Gotha, os órgãos dirigentes do partido foram formados por representantes das duas organizações. Na comissão executiva estavam Hasenclever, Hartmann e Derossi, do lado dos lassallianos, e Geib e Auer, do lado dos "eisenachianos". (N. E. A.)

podem se tornar úteis. Isso dependerá de quando e em que circunstâncias se dará esse fato inevitável.

O programa, em sua redação final, consiste de três partes:

1. Fraseologias lassallianas e termos que não poderiam ter sido adotados sob nenhuma condição. Se duas frações se unem, não se põe no programa de união aquilo que é controverso. Ao permitir que isso ocorresse, nossos homens se submeteram espontaneamente ao mais degradante jugo.
2. Uma série de reivindicações vulgar-democráticas, concebidas no espírito e no estilo do Partido Popular.
3. Um grande número de frases sobre o dever ser do comunismo, em sua maioria apoiadas no *Manifesto*, porém tão distorcidas em sua redação que, quando vistas de perto, revelam as mais revoltantes asneiras. Quando não se entende dessas coisas, deve-se desistir de escrever sobre elas ou copiar literalmente daqueles que entendem delas.

Por sorte, o programa acabou melhor do que merecia. Os trabalhadores, assim como os burgueses e pequeno-burgueses, leem nele o que deveria estar escrito e não o que está lá, e a nenhum lado ocorre pesquisar abertamente o real significado de qualquer uma daquelas maravilhosas frases. Isso nos possibilitou silenciar sobre esse programa. Acrescente-se a isso que não é possível traduzir essas frases em nenhuma língua estrangeira sem ser *forçado* ou a escrever coisas nitidamente insanas, ou a lhes atribuir sorrateiramente um sentido comunista, e a isso são obrigados tanto amigos como inimigos. Eu mesmo tive de fazê-lo numa tradução para nossos amigos espanhóis.

O que pude ver até agora da atividade da comissão não é nada animador. Em primeiro lugar, o procedimento contra seus escritos e os de B[ernhard] Becker[2]; não será culpa da comissão se isso não

---

[2] Trata-se da proposta da comissão de excluir da literatura do partido os seguintes escritos críticos a respeito de Lassalle: Bernhard Becker, *Enthüllungen über das*

vingar. Em segundo lugar, Sonnemann, que se encontrou com M[arx] durante sua viagem, contou ter oferecido a Vahlteich o cargo de correspondente do *Frankfurter Zeitung*, mas a comissão *proibiu* V[ahlteich] de aceitá-lo! Isso consegue ser pior do que censura, e não consigo entender como Vahlteich deixou que tal coisa lhe fosse proibida. Para completar, a inabilidade! Eles deveriam cuidar antes para que o *Frankfurter Zeitung* tivesse correspondentes nossos por toda a Alemanha! Por fim, o proceder dos membros lassallianos na fundação da gráfica berlinense da Internacional também não me parece muito honrado; depois que nossos homens nomearam tranquilamente a comissão para o conselho administrativo da gráfica de Leipzig, os de Berlim tiveram de ser *obrigados* a aceitar essa nomeação. Mas sobre isso não estou bem a par dos detalhes.

No entanto, é bom que a comissão desempenhe poucas atividades e se limite, como diz K[arl] Hirsch, que esteve aqui esses dias, a vegetar como escritório de correspondência e informação. Toda intervenção de sua parte só aceleraria a crise, e parece que as pessoas sentem isso.

E quanta fraqueza aceitar três lassallianos e três dos nossos na comissão!

Mas, afinal das contas, acho que conseguiremos sair dessa, ainda que com profundas olheiras. Esperamos que tudo fique como está e que, enquanto isso, a propaganda entre os lassallianos faça efeito. Se a coisa avançar até as próximas eleições para o Reichstag[3], pode dar certo. Até lá, Stieber e Tessendorf farão seu melhor, e só com o tempo é que se verá quanto de Hasselmann e Hasenclever tivemos de assumir nesse negócio.

---

tragische Lebensende Ferdinand Lassalles [Revelações sobre a trágica morte de Ferdinand Lassalle] (Schleiz, C. Hübscher, 1868) e *Geschichte der Arbeiteragitation Lassalles* [História da militância operária de Lassalle] (Braunschweig, s. ed., 1874); Wilhelm Bracke, *Der Lassallesche Vorschlag* [O projeto lassalliano] (Braunschweig, s. ed., 1873). (N. E. A.)

3 As eleições para o Reichstag [Assembleia Nacional] ocorreram em 10 de janeiro de 1877. (N. E. A.)

M[arx] voltou de Karlsbad totalmente mudado, forte, saudável e renovado, e em breve poderá voltar a sério ao trabalho. Ele e eu o saudamos cordialmente. Procure informar-se, de vez em quando, sobre como andam essas coisas. Os de Leipzig[4] têm interesse demais na coisa toda para que nos passem informações, e a história *interna* do partido, agora mais do que nunca, não virá a público.

Cordialmente,
F. E.

[4] Engels refere-se a Liebknecht, Bebel e outros membros da redação do *Volksstaat*. (N. E. A.)

Friedrich Engels a August Bebel

Londres, 12 de outubro de 1875

Caro Bebel!

Sua carta confirma plenamente nossa opinião de que a unificação é, de nossa parte, precipitada e traz em si o germe da futura cisão. Já seria bom se essa cisão se arrastasse até as próximas eleições para o Reichstag...

O programa, em sua forma atual, consiste de três partes:

1. Frases lassallianas e termos que causam vergonha para o nosso partido, pelo fato de tê-los aceitado. Quando duas frações entram em acordo sobre um programa, incluem nele aquilo em que concordam e não tocam naquilo em que não estão de acordo. O auxílio estatal lassalliano constava, é verdade, do Programa de Eisenach, mas como *uma* entre várias *medidas transitórias*, e, além do mais, o que ouvi é que, *se* não fosse pela unificação, ela certamente iria pelos ares no congresso deste ano, por proposta de Bracke. Agora, ela figura como uma panaceia infalível e definitiva para todos os males sociais. Ter aceito a "lei de bronze" e outras fraseologias lassallianas foi, para o nosso partido, uma colossal derrota moral. Ele se converteu ao catecismo lassalliano. Não se pode negar. Essa parte do programa é a força caudina sob a qual nosso partido rastejou, para a maior glória de santo Lassalle.

2. Reivindicações democráticas formuladas plenamente no sentido e no estilo do Partido Popular.
3. Reivindicações ao "Estado *atual*" (e assim ficamos sem saber a quem as demais "reivindicações" serão postas) muito confusas e ilógicas.
4. Frases gerais, na maioria das vezes apoiadas no *Manifesto Comunista* e nos Estatutos da Internacional, mas redigidas de modo tão distorcido que são ou *totalmente falsas* ou *puro disparate*, como Marx mostrou em detalhe nos comentários de que você já tomou conhecimento[1].

O todo é no mais alto grau desordenado, confuso, sem unidade, ilógico e vergonhoso. Se na imprensa burguesa houvesse um único cérebro crítico, ele teria esquadrinhado esse programa frase por frase, buscando em cada uma o conteúdo real, destacando sensivelmente o absurdo da coisa, demonstrando as contradições e as patacoadas econômicas (por exemplo, que hoje os meios de trabalho são "monopólio da classe capitalista", como se não houvesse proprietários fundiários, ou a ideia da "libertação do *trabalho*", em vez da classe trabalhadora, uma vez que o trabalho propriamente dito é *bastante livre* hoje em dia!) e levando todo o nosso partido ao mais terrível ridículo. Em vez disso, os asnos das folhas burguesas tomaram esse programa com toda a seriedade, leram nele o que lá não se encontrava e entenderam-no ao modo comunista. Os trabalhadores parecem fazer o mesmo. Foi *apenas essa circunstância* que permitiu a Marx e a mim não nos pronunciarmos publicamente sobre tal programa. Enquanto nossos oponentes e também os trabalhadores atribuírem a esse programa os nossos pontos de vista, poderemos silenciar sobre isso.

---

[1] Engels refere-se às *Glosas marginais ao programa do Partido Operário Alemão*, mas engana-se ao supor que Bebel as conhecia. Quando Engels publicou-as, em 1891, soube-se que Wilhelm Liebknecht não mostrara o documento a Bebel, apesar do pedido expresso de Marx em sua carta a Bracke (cf. supra, p. 19). Bebel só o leu em 1891, quando foi publicado no *Neue Zeit*. Tendo lido o texto antes da entrega do jornal aos leitores, ainda tentou impedir a distribuição, mas seu telegrama chegou tarde demais. (N. E. A.)

Se você está satisfeito com a questão das pessoas, as aspirações de nossa parte reduziram-se consideravelmente. Dois dos nossos e três lassallianos! E, mesmo assim, os nossos não são igualmente aliados, mas sim vencidos e, desde o início, derrotados em votos. A ação da comissão, tanto quanto a conhecemos, também não é edificante: 1) resolução de *não* incluir na lista dos escritos do partido dois textos de Bracke e B[ernhard] Becker sobre assuntos relativos a Lassalle; se essa resolução não vingar, não será culpa da comissão, tampouco de Liebknecht; 2) proibição de Vahlteich assumir o posto de correspondente do *Frankfurter Zeitung*, oferecido a ele por Sonnemann. O próprio Sonnemann relatou isso a Marx, quando o encontrou durante sua viagem. O que me impressiona ainda mais do que a arrogância da comissão e a prontidão com que Vahlteich se conformou com a decisão, em vez de gritar contra a comissão, é a burrice colossal dessa comissão. Ela devia cuidar antes para que um jornal como o *Frankfurter* [*Zeitung*] tivesse, em todos os lugares, *apenas* contribuições de nossos homens...

Que a coisa toda é uma experiência educativa, que nessas circunstâncias também promete um sucesso muito favorável, nisso você tem toda a razão. A unificação como tal será um grande sucesso, caso se mantenha por dois anos. Mas, sem dúvida, ela poderia ter sido obtida muito mais barata...

F. E.

FRIEDRICH ENGELS A KARL KAUTSKY (EXCERTOS)

Londres, 23 de fevereiro de 1891

Caro Kautsky!

Receba minhas congratulações pela data de anteontem. Agora, voltemos ao assunto mencionado, a carta de Marx[1].

O temor de que ela poderia servir como uma arma nas mãos de nossos oponentes era infundado. É claro que há insinuações maldosas de todo tipo, mas, no geral, a impressão causada nos adversários foi de absoluta perplexidade diante de uma autocrítica tão impiedosa, e eles tiveram de pensar: "Que força interna não tem um partido capaz de infligir a si mesmo uma coisa dessas!". Pude constatar isso nos jornais adversários que você me enviou (muito obrigado!) e em outros que também consegui. E, sinceramente, foi também com essa intenção que resolvi publicar o libelo. Que ele necessariamente provocaria, aqui e ali, reações muito desagradáveis, disso eu tinha consciência, mas isso não podia ser evitado e o conteúdo, a meu ver, compensava esse inconveniente. Eu sabia que o partido era forte o suficiente para suportar esse golpe e que suportaria o debate atual, que esperou quinze anos para acontecer; mas apontar essa prova de força e, com legítimo orgulho, dizer: "Onde existe outro partido

[1] Engels refere-se, aqui, às *Glosas marginais ao programa do Partido Operário Alemão*. (N. E. A.)

capaz de ousar semelhante coisa?", isso foi deixado para o *Arbeiter Zeitung* da Saxônia e de Viena e para o *Züricher Post*.

[...]

Você diz que Bebel lhe escreveu informando que o tratamento dispensado a Lassalle por Marx fez ferver o sangue dos lassallianos. Pode ser que sim. Acontece que as pessoas não conhecem a história verdadeira e parece que nada foi feito para que fossem informadas. Se essas pessoas não sabem que toda a grandeza de Lassalle se deve ao fato de Marx ter permitido que, anos a fio, ele se enfeitasse com os resultados das pesquisas de Marx como se fossem seus e, além disso, os distorcesse em razão de sua defeituosa formação econômica, isso não é culpa minha. Mas sou o executor testamentário de Marx e, como tal, tenho também minhas obrigações.

Lassalle foi entregue à história 26 anos atrás. Se, por causa da lei de exceção, a história crítica sobre ele permaneceu intocada, agora chegou finalmente o momento de julgá-lo e esclarecer sua posição em relação a Marx. A lenda que esconde e diviniza a verdadeira figura de Lassalle não pode se tornar artigo de fé do partido. Mesmo que se admitam seus méritos em relação ao movimento operário, seu papel histórico permanece, nele, um papel ambíguo. O Lassalle demagogo acompanhava todos os passos do Lassalle socialista. Por trás do Lassalle militante e organizador, estava sempre a sombra do Lassalle condutor do processo Hatzfeldt[2]: o mesmo cinismo na escolha dos meios, a mesma predileção por cercar-se de gente suspeita e corrupta, que depois podem ser descartadas como simples instrumentos usados. Depois de ter sido na prática, até 1862, um democrata vulgar tipicamente prussiano, com fortes inclinações bonapartistas (li agora mesmo a carta dele a Marx), ele mudou de repente, por motivos puramente pessoais, e começou sua militância; em menos de dois anos, já exigia que os trabalhadores usassem o partido da realeza contra a burguesia e fazia negociatas tais com Bismarck, seu

---

[2] Trata-se do processo de divórcio da condessa de Hatzfeldt, para quem Lassalle trabalhou como advogado de 1845 a 1854. (N. E. A.)

parente de caráter, que acabariam de fato por conduzir à traição do movimento, se ele não tivesse sido baleado a tempo, para sua própria sorte. Em seus escritos de militância, tudo que é correto – que, aliás, consiste apenas naquilo que ele toma emprestado de Marx – está de tal modo enredado em construções que são próprias de Lassalle e, em regra, falsas que as duas coisas quase nunca podem ser distinguidas. A parte dos trabalhadores que se sente atingida pelo julgamento de Marx conhece de Lassalle apenas os seus dois anos de militância e, mesmo assim, só os conhece por lentes cor-de-rosa. Mas a crítica histórica não pode ficar parada de braços cruzados diante desses preconceitos. Era minha obrigação passar a limpo, finalmente, a questão entre Marx e Lassalle. Foi o que aconteceu. Com isso, já tenho razões para me contentar. Agora tenho outras coisas a fazer. E o julgamento impiedoso de Marx sobre Lassalle agirá por si só e dará coragem a outros. Mas, se eu for forçado a isso, não me restará alternativa: terei de acabar de uma vez por todas com a lenda de Lassalle.

[...]

O artigo no *Vorwärts*[3] não me preocupa muito. Aguardarei para ver como Liebknecht dará sua versão da história e então responderei a ambos da forma mais amistosa possível. No artigo do *Vorwärts* há apenas alguns erros a corrigir (por exemplo, a afirmação de que não queríamos a unificação, que os acontecimentos teriam desmentido Marx etc.) e confirmar as coisas evidentes. Com essa resposta, espero encerrar minha participação nesse debate, caso não me veja na necessidade de reagir a uma nova agressão ou afirmação injusta.

---

[3] Esse artigo, publicado no *Vorwärts* em 13 de fevereiro de 1891 com o título "A carta-programa de Marx", apresentava a posição oficial da direção do Partido Social-Democrata da Alemanha à *Crítica do Programa de Gotha*. Ele criticava o julgamento de Marx a respeito de Lassalle e atribuía ao partido o mérito de ter aprovado o programa, apesar das críticas de Marx; também elogiava os eisenachianos por terem respondido com um "categórico não" à proposta de uma autoridade científica como a de Marx. (N. E. A.)

Diga a Dietz que estou trabalhando na preparação da *Origem*[4]. Mas eis que, hoje, Fischer me escreve e me pede mais três novos prefácios!

Seu,
F. E.

[4] Trata-se da preparação da quarta edição, publicada em 1891, do livro de Engels, *A origem da família, da propriedade privada e do Estado* [3. ed., São Paulo, Centauro, 2009]. (N. E. A.)

Friedrich Engels a August Bebel

Londres, 1º-2 de maio de 1891

Caro Bebel!

Respondo hoje às suas duas cartas, de 30 de março e 25 de abril. É com satisfação que fico sabendo que suas bodas de prata correram tão bem e que deram ânimo ao casal para as futuras bodas de ouro. Desejo sinceramente que vocês dois possam festejá-las. Precisaremos de você ainda por muito tempo, depois que o diabo tiver me carregado, como diz o velho de Dessau*.

Devo voltar, espero que pela última vez, à questão da crítica de Marx ao programa. Quando você diz que "contra a publicação em si mesma *ninguém* teria se oposto", sou obrigado a discordar. Liebknecht *nunca* teria concordado de boa vontade com a publicação e teria feito de tudo para impedi-la. Desde 1875, essa crítica está de tal forma atravessada em sua garganta que ele pensa nela toda vez que ouve a palavra "programa". Todo o seu discurso em Halle[1] gira em torno dela. Seu longo artigo no *Vorwärts*** é apenas a expressão de

---

* Referência a Leopoldo I (1676-1747), príncipe de Anhalt-Dessau. (N. T.)

[1] Engels refere-se ao discurso de Wilhelm Liebknecht sobre o programa do partido, feito em 15 de outubro de 1890 na Assembleia da Social-Democracia Alemã, em Halle. (N. E. A.)

** Cf. supra, p. 69, nota 3. (N. T.)

sua consciência torturada por causa dessa mesma crítica. E, de fato, é a ele que ela se dirige em primeiro lugar. Nós o víamos, e eu continuo a vê-lo, como o pai do programa de unificação – por seu aspecto *negligente*. E esse foi o ponto que embasou minha atitude unilateral. Se eu simplesmente tivesse consultado você e em seguida enviado o material para K[arl] Kautsky para ser impresso, teríamos entrado em acordo em duas horas. Acontece que julguei que você estava na obrigação – pessoal e partidária – de também consultar Liebknecht sobre o assunto. Eu sabia o que isso causaria. Ou pressão, ou xingamentos públicos, ao menos por um bom tempo, e também contra você, caso eu publicasse o texto. A prova de que eu não estava errado é o seguinte: o fato de que você tenha sido informado em 1º de abril e que o documento tenha data de 5 de maio demonstra claramente – até que um esclarecimento o desminta – que a coisa lhe foi *intencionalmente sonegada*, e isso só pode ter ocorrido *por obra de Liebknecht*. Você concede a ele o direito de, em nome da estimada paz, espalhar por aí a mentira de que você, na prisão, não teria recebido nem mesmo metade do texto para ler. E que, assim, você também teria demonstrado preocupação com a publicação do documento, a fim de evitar um escândalo na direção do partido. Acho isso compreensível, mas espero que você também compreenda que levei em consideração o fato de que, muito provavelmente, eles agiriam assim.

Acabei de ler o texto novamente. É possível que uma ou outra coisa pudesse ter sido deixada de fora, sem prejudicar o todo. Mas com certeza não *muita coisa*. Qual era a situação? Nós sabíamos, tanto quanto vocês e, por exemplo, o *Frankfurter Zeitung* de 9 de março de 1875 que localizei aqui, que com a divulgação do esboço de programa pelos plenipotenciários do partido a *questão já estava decidida*. Por isso, Marx escreveu a crítica para salvar sua consciência, como provam suas palavras finais: "*Dixi et salvavi animam meam*"*, e sem qualquer esperança de obter sucesso. E a afirmação

* Cf. supra, p. 48, nota 30. (N. T.)

de Liebknecht, de que teria havido um categórico "não"*, nada mais é do que uma pretensão descabida, e ele sabe disso. Assim, se vocês cometeram um grande erro na eleição de seus representantes e agora, para não deixar que a unificação seja destruída, são obrigados a engolir o programa, então não podem se opor que, *depois de quinze anos*, seja publicada a advertência que foi feita a vocês antes que tomassem a decisão. Isso não os rotula nem como tolos nem como traidores, a menos que vocês levantem uma pretensão à infalibilidade em seus atos oficiais.

No entanto, você não leu a advertência. Mas isso também está publicado, de modo que você fica numa situação excepcionalmente vantajosa em relação aos outros, que a leram e mesmo assim caíram na armadilha do esboço.

Eu considero a carta que acompanha as glosas muito importante, porque nela é apresentada a única política correta. Conduzir uma ação paralela durante um período de prova é a única coisa que poderia tê-los salvado da barganha de princípios. Mas Liebknecht não queria deixar escapar, por preço algum, a glória de ter realizado a unificação, e é um verdadeiro milagre que ele, em suas concessões, não tenha ido além. Ele absorveu e manteve, desde o início, a fúria unificadora da democracia burguesa.

Que os lassallianos tenham vindo até nós porque precisavam, porque seu partido estava aos pedaços, porque seus líderes eram uns pobres diabos ou asnos que as massas não queriam mais seguir, isso pode ser dito, hoje, nos termos que se escolheram. Sua "robusta organização" terminou, naturalmente, na mais completa dissolução. É ridículo, portanto, que Liebknecht queira justificar a aceitação em bloco dos artigos de fé lassallianos com o argumento de que, com isso, os lassallianos sacrificaram sua robusta organização. Mas não havia mais nada a sacrificar!

Quer saber de onde vêm as obscuras e confusas fraseologias do programa? Ora, são todas de Liebknecht em carne e osso; foi em

---

* Cf. supra, p. 69, nota 3. (N. T.)

torno delas que brigamos com ele ao longo de anos e era diante delas que ele se entusiasmava. Ele sempre foi confuso teoricamente, e nossas incisivas formulações são até hoje uma abominação para ele. Ao contrário, fraseologias sonoras, das quais se pode entender absolutamente tudo que se queira ou absolutamente nada, ainda hoje são amadas por ele, mesmo sendo um velho dirigente de facção partidária. Se, nessa época, franceses, ingleses e americanos confusos falavam, por não conhecer nada melhor, de "libertação do trabalho", em vez de libertação da *classe* trabalhadora, e mesmo nos documentos da Internacional era preciso falar a língua que essa gente entendia, isso constituía para Liebknecht motivo suficiente para fazer o modo de expressão do partido alemão regredir violentamente a esse ponto de vista ultrapassado. E não se pode dizer, de modo algum, "contrariando sua consciência", porque sua consciência não vislumbrava nada melhor, e não estou seguro de que isso não continue a valer ainda hoje. Em todo caso, ele continua a cair na velha forma de expressão nebulosa – que, decerto, é mais fácil de empregar retoricamente. E como fazia questão das reivindicações democráticas, que acreditava compreender, tanto quanto das teses econômicas, que não compreendia com clareza, ele certamente agiu com sinceridade quando, ao trocar suas quinquilharias democráticas pelos dogmas lassallianos, achou que estava fazendo um excelente negócio.

No que concerne às críticas a Lassalle, elas eram, como eu disse a vocês, o principal para mim. Aceitando *todas* as fraseologias e reivindicações essencialmente lassallianas, os eisenachianos *se tornaram, de fato, lassallianos*, ao menos no que diz respeito ao programa. Os lassallianos não sacrificaram nada, absolutamente nada, do que poderiam manter. Para completar a vitória deles, vocês adotaram, como hino do partido, a fraseologia moralista e rimada, com que o sr. Audorf festeja Lassalle[2]. E, obviamente, durante os quinze anos de vigência da "lei contra os socialistas" não havia qualquer possibili-

---

[2] Trata-se do prólogo que Jacob Audorf compôs para a homenagem fúnebre a Ferdinand Lassalle, em 4 de setembro de 1876. (N. E. A.)

dade de combater o culto a Lassalle. Era preciso dar um fim a essa situação, e coube a mim iniciar isso. Não permitirei mais que a falsa glória de Lassalle se mantenha à custa de Marx e continue a ser pregada. As pessoas que conheceram e reverenciaram Lassalle são poucas; quanto aos outros, o culto a Lassalle foi-lhes *enfiado goela a baixo*, graças à nossa tolerância e a despeito de todo o nosso saber, de modo que esse culto não se justifica nem mesmo pela lealdade pessoal. Foi considerando o público dos novatos e inexperientes que se tomou a decisão de publicar o texto no *Neue Zeit*. Mas não posso de modo algum aceitar que, em tais questões, a verdade histórica tenha de recuar – depois de quinze anos de paciência bovina – em nome da conveniência e da possibilidade de conflito dentro do partido. Não se pode evitar que tais situações sempre acabem por atingir bravos homens. E tampouco que eles rosnem. E se eles dizem que Marx tinha inveja de Lassalle, e se os jornais alemães e até mesmo (!!) o *Vorbote* de Chicago (que escreve para mais lassallianos genuínos em Chicago do que existem em toda a Alemanha) fazem coro com eles, isso me incomoda menos do que a picada de uma pulga. Lançaram-nos todo tipo de acusações e passamos à ordem do dia. O exemplo foi dado no tratamento ríspido que Marx dispensou ao santo Ferdinand Lassalle e, por ora, isso já é suficiente.

Mais uma coisa: depois que vocês tentaram coercitivamente impedir a publicação do artigo, e enviaram ao *Neue Zeit* advertências de que, em caso de reincidência, ele poderia ser estatizado pelo partido e censurado, obriga-me a por sob uma luz adequada a apropriação de toda a sua imprensa pelo partido. Em que vocês se diferenciam de Puttkamer, se introduzem em suas próprias fileiras uma "lei contra os socialistas"? A mim, pessoalmente, isso só pode ser de uma forma: nenhum partido, em nenhum país, pode me condenar ao silêncio quando estou decidido a falar. Mas eu gostaria de sugerir a vocês que refletissem se não fariam melhor sendo um pouco menos melindrosos e, na ação, menos prussianos. Vocês – o partido – *precisam da* ciência socialista, e esta não pode viver sem liberdade de movimento. Para isso, é preciso tolerar as inconveniências, e isso se faz mantendo a compostura, sem vacilar. Uma tensão, mesmo que leve, para não falar de uma ruptura entre o partido alemão e a ciência socialista alemã, seria uma desgraça e uma vergonha inomináveis. É óbvio que a direção do partido, e você em especial, tem e deve continuar a ter uma influência *moral* sobre o *Neue Zeit* e sobre todas as outras publicações. Mas vocês devem, e podem, contentar-se com essa influência. No *Vorwärts*, a inviolabilidade da liberdade de discussão é martelada, mas não se nota que isso seja seguido. Vocês não têm ideia de como essa inclinação a medidas repressivas é vista aqui no exterior, onde é comum que o chefe supremo do partido seja devidamente convocado a prestar contas no interior do próprio partido (por exemplo, o governo *Tory* convocado pelo lorde Randolph Churchill). E, ainda, vocês não podem esquecer que a disciplina num grande partido não pode ser imposta sob ameaça de punição, como se faz numa pequena seita, e que não existe mais a "lei contra os socialistas", aquela que fundiu lassallianos e eisenachianos e tornava necessária tal coerência de opiniões.

Ufa! Creio que essa velha tralha foi descartada e agora podemos tratar de outra coisa...

Cumprimentos a sua esposa, a Paul, Fischer, Liebknecht, e transmita a *tutti quanti* os melhores votos do seu

F. E.

PROGRAMAS DA SOCIAL-DEMOCRACIA ALEMÃ

Estatutos da Associação Internacional dos Trabalhadores* (excertos)

Considerando,

Que a emancipação das classes trabalhadoras tem de ser conquistada pelas próprias classes trabalhadoras;

Que a luta pela emancipação das classes trabalhadoras significa não a luta por privilégios e monopólios, mas por iguais direitos e deveres e pela abolição de todo domínio de classe;

Que a sujeição econômica do homem que trabalha para o monopolizador dos meios de trabalho, isto é, das fontes de vida, repousa no âmago da servidão em todas as suas formas, de toda miséria social, degradação mental e dependência política;

Que a emancipação econômica das classes trabalhadoras é, portanto, o grande fim ao qual todo movimento político deve estar subordinado como meio;

Que todos os esforços visando esse grande fim falharam até hoje por falta de solidariedade entre as várias divisões do trabalho em cada

---

* Marx esboçou os Estatutos da Associação Internacional dos Trabalhadores entre 21 e 27 de outubro de 1864. Os excertos aqui apresentados são o texto aprovado na conferência de Londres da Associação Internacional dos Trabalhadores. O artigo 7a, uma afirmação categórica – contra o anarquismo – da importância do caráter político do movimento operário, foi aprovado no congresso de Londres como "resolução" e acrescentado aos Estatutos da Internacional em setembro de 1872, no congresso de Haia. Este, palco da luta final entre marxistas e bakuninistas, culminou na expulsão do líder máximo dos anarquistas dos quadros da Internacional. (N. T.)

país e pela ausência de um vínculo fraternal entre as classes trabalhadoras dos diferentes países;

Que a emancipação do trabalho não é uma emancipação local nem nacional, mas um problema social que abrange todos os países em que existe a sociedade moderna e depende, para sua solução, da confluência prática e teórica de todos os países avançados;

Que o atual reavivamento das classes trabalhadoras nos países mais industrializados da Europa, ao mesmo tempo que representa uma nova esperança, traz uma advertência solene contra a recaída em velhos erros e conclama para a combinação imediata dos movimentos ainda desconexos;

Por essas razões:

A Associação Internacional dos Trabalhadores foi fundada.

Ela declara:

Que todas as sociedades e indivíduos que a ela aderirem reconhecerão a verdade, a justiça e a moralidade como base de sua conduta uns para com os outros e para com cada homem, sem considerações de cor, credo ou nacionalidade;

Que não reconheçam *nenhum direito sem deveres, nem deveres sem direitos*;

E, nesse espírito, as seguintes regras foram traçadas:

1. Essa Associação é estabelecida para proporcionar um meio central de comunicação e cooperação entre sociedades operárias de diferentes países que visam a mesma finalidade, isto é, a proteção, o avanço e a completa emancipação das classes trabalhadoras.

[...]

6. O Conselho Geral deve funcionar como uma agência internacional entre os diferentes grupos nacionais e locais da associação, de modo que os operários de um país sejam constantemente informados dos movimentos de sua classe em qualquer outro país; que um levantamento sobre o estado social dos diferentes países da Europa seja feito simultaneamente e sob uma direção comum; que as questões de

interesse geral surgidas numa sociedade possam ser discutidas por todas as outras e que, quando medidas práticas imediatas precisem ser tomadas – como, por exemplo, no caso de desavenças internacionais –, a ação das sociedades associadas seja simultânea e uniforme. Sempre que parecer oportuno, o Conselho Geral deve tomar a iniciativa de propostas a serem apresentadas perante as diferentes sociedades, nacionais ou locais. A fim de facilitar as comunicações, o Conselho Geral deve publicar relatórios periódicos.

7. Como o sucesso do movimento operário em cada país não pode ser assegurado senão pelo poder da união e da combinação, enquanto, por outro lado, a utilidade do Conselho Geral da Internacional depende em grande parte do fato de ele ter de lidar com alguns poucos centros nacionais de associações operárias ou com um grande número de pequenas e desconectadas sociedades locais, os membros da Associação Internacional devem empregar todos os seus esforços para combinar as sociedades operárias desconectadas de seus respectivos países em corpos nacionais, representados por órgãos nacionais centrais. É evidente, porém, que a aplicação dessa regra dependerá das leis peculiares de cada país e, excetuando os obstáculos legais, nenhuma sociedade local pode ser impedida de se corresponder diretamente com o Conselho Geral.

Art. 7a. Em sua luta contra o poder reunido das classes possuidoras, o proletariado só pode se apresentar como classe quando constitui a si mesmo num partido político particular, o qual se confronta com todos os partidos anteriores formados pelas classes possuidoras.

Essa unificação do proletariado em partido político é indispensável para assegurar o triunfo da revolução social e seu fim último – a abolição das classes.

A união das forças dos trabalhadores, que já é obtida mediante a luta econômica, tem de tornar-se, nas mãos dessa classe, uma alavanca em sua luta contra o poder político de seus exploradores.

Como os senhores do solo e do capital se servem de seus privilégios políticos para proteger e perpetuar seus monopólios econômicos, assim como para escravizar o trabalho, então a conquista do poder político torna-se uma grande obrigação do proletariado.

Programa de Eisenach (1869)

I. O Partido Operário Social-Democrata luta pela implantação do Estado popular livre.

II. Todo membro do Partido Operário Social-Democrata compromete-se a atuar com todas as suas forças pelos seguintes fundamentos:

1. As atuais condições políticas e sociais são extremamente injustas e, por isso, devem ser combatidas com a mais intensa energia.
2. A luta pela libertação da classe trabalhadora não é uma luta por privilégios de classe e imunidades, mas por iguais direitos e obrigações e pela abolição de toda dominação de classe.
3. A dependência econômica do trabalhador em relação ao capitalista forma a base da servidão em todas as suas formas; por isso, o objetivo do Partido Social-Democrata é – abolindo o modo de produção atual (o sistema do salário) por meio do trabalho cooperativo – garantir a cada trabalhador o fruto inteiro do trabalho.
4. A liberdade política é a precondição indispensável para a libertação econômica das classes trabalhadoras. A questão social é, pois, inseparável da questão política: sua solução depende da solução desta última e é possível apenas no Estado democrático.
5. Considerando que a libertação política e econômica da classe trabalhadora só é possível se esta trava a luta de maneira conjunta e

uniforme, o Partido Operário Social-Democrata forma uma organização uniforme, que, no entanto, possibilita a cada indivíduo exercer sua influência para o bem da coletividade.

6. Considerando que a libertação do trabalho não é uma tarefa nem local nem nacional, mas sim social, a qual abrange todos os países em que existe a sociedade moderna, o Partido Operário Social-Democrata considera-se, na medida em que as normas da associação o permitam, um ramo da Associação Internacional dos Trabalhadores, aderindo a suas lutas.

III. As próximas reivindicações do Partido Operário Social-Democrata são as que se seguem:

1. Facultar o sufrágio universal, igual, direto e secreto a todos os homens maiores de 20 anos em eleições para o parlamento, assembleias dos Estados, conselhos provinciais e distritais, bem como para os demais corpos representativos. Aos representantes eleitos deve ser concedida uma remuneração compatível com a função.
2. Introdução da legislação direta (isto é, direito de proposição e veto) pelo povo.
3. Supressão de todos os privilégios de estamento, propriedade, nascimento e confissão.
4. Estabelecimento de uma milícia popular no lugar do exército permanente.
5. Separação entre Igreja e Estado e entre escola e Igreja.
6. Instrução obrigatória nas escolas públicas e instrução gratuita em todos os estabelecimentos públicos de ensino.
7. Independência dos tribunais, introdução dos tribunais do júri e tribunais especializados; introdução da instrução judicial pública e oral e da gratuidade da assistência jurídica.
8. Abolição de todas as leis de imprensa, de reunião e de associação; introdução da jornada normal de trabalho; limitação do trabalho feminino e proibição do trabalho infantil.

9. Abolição de todos os impostos indiretos e introdução de um imposto de renda único e de um imposto de herança.
10. Exigência estatal, sob garantias democráticas, do cooperativismo e do crédito estatal para cooperativas livres de produção.

Programa de Gotha (esboço)*

I. O trabalho é a fonte de toda riqueza e toda cultura, e como o trabalho útil só é possível na sociedade e por meio da sociedade, o fruto do trabalho [*Arbeitsertrag*] pertence inteiramente, com igual direito, a todos os membros da sociedade.

Na sociedade atual, os meios de trabalho constituem o monopólio da classe capitalista; a dependência da classe trabalhadora, que resulta desse monopólio, é a causa da miséria e da servidão em todas as suas formas.

A libertação do trabalho requer a elevação dos meios de trabalho a patrimônio comum da sociedade e a regulação cooperativa [*genossenschaftliche*] do trabalho total, com distribuição justa do fruto do trabalho.

A libertação do trabalho tem de ser obra da classe trabalhadora, diante da qual todas as outras classes são uma só massa reacionária.

A classe trabalhadora atua por sua libertação, inicialmente, no interior do atual Estado nacional, consciente de que o resultado necessário de seu esforço, comum a todos os trabalhadores de todos os países civilizados, será a fraternização internacional dos povos.

II. Partindo desses princípios, o Partido Operário Alemão ambiciona, por todos os meios legais, alcançar o Estado livre e a socieda-

* Elaborado no pré-congresso de Gotha, ocorrido em 14 e 15 de fevereiro de 1875. É esta versão que Marx tinha em mãos quando elaborou sua crítica. (N. T.)

de socialista, a supressão [*Aufhebung*] do sistema salarial juntamente com a lei de bronze do salário e da exploração em todas as suas formas, a eliminação de toda desigualdade social e política.

O Partido Operário Alemão exige, para conduzir à solução da questão social, a criação de cooperativas de produção com subvenção estatal e sob o controle democrático do povo trabalhador. Na indústria e na agricultura, as cooperativas de produção devem ser criadas em proporções tais que delas surja a organização socialista do trabalho total.

O Partido Operário Alemão exige, como base livre do Estado:

1. Sufrágio universal, igual, direto e secreto para todos os homens maiores de 21 anos, para todas as eleições no Estado e nos municípios.
2. Legislação direta pelo povo, com direito a proposição e veto.
3. Preparação militar geral. Milícia popular no lugar do exército permanente. Decisão sobre a guerra e a paz mediante representação do povo.
4. Abolição de todas as leis de exceção, especialmente as leis de imprensa, de associação e de reunião.
5. Jurisdição pelo povo. Assistência jurídica gratuita.

O Partido Operário Alemão exige, como base espiritual e moral do Estado:

1. Educação popular universal e igual, sob incumbência do Estado. Escolarização universal obrigatória. Instrução gratuita.
2. Liberdade da ciência. Liberdade de consciência.

O Partido Operário Alemão exige, como base econômica do Estado:

Um imposto de renda único e progressivo para o Estado e os municípios, no lugar de todos os impostos indiretos atualmente existentes, especialmente os impostos indiretos.

O Partido Operário Alemão exige, para a proteção da classe trabalhadora contra o poder do capital no interior da sociedade atual:

1. Liberdade de associação.
2. Jornada normal de trabalho e proibição do trabalho dominical.
3. Limitação do trabalho das mulheres e proibição do trabalho infantil.
4. Supervisão estatal da indústria fabril, oficinal e doméstica.
5. Regulamentação do trabalho prisional.
6. Uma lei de responsabilidade civil eficaz.

Programa de Gotha (texto final)*

I. O trabalho é a fonte de toda riqueza e toda cultura, e como o trabalho universalmente útil só é possível por meio da sociedade, o produto total do trabalho [*gesamte Arbeitsprodukt*] pertence à sociedade, isto é, a todos os seus membros, com obrigação universal ao trabalho, com igual direito, a cada um segundo suas necessidades razoáveis.

Na sociedade atual, os meios de trabalho constituem monopólio da classe capitalista; a dependência da classe trabalhadora, condicionada por esse fato, é a causa da miséria e da servidão em todas as suas formas.

A libertação do trabalho requer a transformação do meio de trabalho em patrimônio comum da sociedade e a regulação cooperativa do trabalho total, com uma distribuição justa do fruto do trabalho e seu emprego para a utilidade comum.

A libertação do trabalho tem de ser obra da classe trabalhadora, diante da qual todas as outras classes formam uma só massa reacionária.

II. Partindo desses princípios, o Partido Operário Socialista da Alemanha visa, por todos os meios legais, alcançar o Estado livre e a sociedade socialista, a quebra [*Zerbrechung*] da lei de bronze do salário por meio da abolição do sistema do trabalho assalariado, a

* Aprovado no Congresso de Gotha, em 25 de maio de 1875. (N. T.)

supressão [*Aufhebung*] da exploração em todas as suas formas, a eliminação de toda desigualdade social e política.

O Partido Operário Socialista da Alemanha, embora atuando inicialmente no âmbito nacional, está consciente do caráter internacional do movimento operário e decidido a cumprir todas as obrigações que esse movimento impõe aos trabalhadores para realizar a fraternização de todos os homens.

O Partido Operário Socialista da Alemanha exige, para conduzir à solução da questão social, a criação de cooperativas de produção com subvenção estatal e sob o controle democrático do povo trabalhador. Na indústria e na agricultura, as cooperativas de produção devem ser criadas em proporções tais que delas surja a organização socialista do trabalho total.

O Partido Operário Socialista da Alemanha reivindica como bases do Estado:

1. Sufrágio universal, igual e direto para todas as eleições e votações no Estado e nos municípios, com voto secreto e obrigatório para todos os cidadãos maiores de vinte anos. O dia da eleição ou votação deve ser um domingo ou feriado.
2. Legislação direta pelo povo. Decisão sobre guerra e paz pelo povo.
3. Preparação militar geral. Milícia popular no lugar do exército permanente.
4. Abolição de toda lei de exceção, especialmente das leis de imprensa, de associação e de reunião; abolição, em geral, de todas as leis que limitam a expressão da opinião, a pesquisa e o pensamento livres.
5. Jurisdição pelo povo. Assistência jurídica gratuita.
6. Instrução popular universal e igual sob incumbência do Estado. Escolarização universal obrigatória. Instrução gratuita em todos os estabelecimentos de ensino.

O Partido Operário Socialista da Alemanha reivindica, no âmbito da sociedade atual:

1. A expansão possível dos direitos e liberdades políticos no sentido das reivindicações anteriores.
2. Um imposto de renda único e progressivo para o Estado e os municípios no lugar de todos os impostos indiretos atualmente existentes, especialmente aqueles que escorcham o povo.
3. Direito irrestrito de associação.
4. Uma jornada de trabalho normal, que corresponda às necessidades da sociedade. Proibição do trabalho aos domingos.
5. Proibição do trabalho infantil e de todo trabalho feminino nocivo à saúde e à moralidade.
6. Lei de proteção da vida e da saúde do trabalhador. Controle sanitário das habitações dos trabalhadores. Vigilância das minerações e do trabalho fabril, oficinal e domiciliar por funcionários eleitos pelos trabalhadores. Uma lei de indenizações eficaz.
7. Regulação do trabalho prisional.
8. Autoadministração completa para todos os fundos de assistência e previdência dos trabalhadores.

Programa de Erfurt (1891)

O desenvolvimento econômico da sociedade burguesa conduz, com necessidade natural, à ruína da pequena empresa, assentada sobre a propriedade privada dos meios de produção pelo trabalhador. Ela separa o trabalhador de seus meios de produção e o transforma num proletário sem posses, enquanto os meios de produção se tornam o monopólio de um número comparativamente pequeno de capitalistas e grandes proprietários fundiários.

Essa monopolização dos meios de produção é acompanhada da eliminação das pequenas empresas fragmentadas por empresas colossais, da transformação da ferramenta em máquina, do gigantesco crescimento da produtividade do trabalho humano. Mas todas as vantagens dessa transformação são monopolizadas pelos capitalistas e grandes proprietários fundiários. Para o proletariado e para as camadas médias em declínio – pequeno-burgueses, camponeses –, elas significam o aumento crescente da insegurança de sua existência, da miséria, da opressão, da servidão, da humilhação e da exploração.

Quanto maior o número de proletários, mais maciço o exército de trabalhadores excedentes, mais brutal a oposição entre exploradores e explorados, mais aguda a luta de classe entre burguesia e proletariado que divide a sociedade moderna em dois quartéis inimigos e constitui a característica comum de todos os países industrializados.

O abismo entre possuidores e não possuidores torna-se ainda mais profundo com as crises inerentes à essência do modo de produção capitalista, crises que se tornam cada vez mais abrangentes e devastadoras, ultrapassando a tal ponto a insegurança geral própria das condições normais da sociedade que a propriedade privada dos meios de produção torna-se inconciliável com sua utilização conforme a um fim e com seu pleno desenvolvimento.

A propriedade privada dos meios de produção, que outrora foi o meio de assegurar ao produtor a propriedade de seu produto, tornou-se hoje o meio de expropriar os camponeses, os artesãos e os pequenos comerciantes e conferir aos não trabalhadores – capitalistas, grandes proprietários fundiários – a posse do produto dos trabalhadores. Apenas a transformação da propriedade privada capitalista dos meios de produção – solo, subterrâneos e minas, matérias-primas, ferramentas, máquinas, meios de transporte – em propriedade social e a transformação da produção de mercadorias em produção socialista, realizada para e pela sociedade, podem ter como efeito que a grande empresa e a produtividade sempre crescente do trabalho social se convertam, para as classes até então exploradas, de fonte de miséria e opressão em fonte da mais alta prosperidade e pleno e harmônico aperfeiçoamento.

Tal transformação social significa a libertação não só do proletariado, mas do gênero humano, que padece sob as atuais condições. Mas ela só pode ser obra da classe trabalhadora, uma vez que todas as outras classes, apesar dos conflitos de interesses entre si, encontram-se sobre o solo da propriedade privada dos meios de produção e têm como meta comum a manutenção das bases da sociedade atual.

A luta da classe trabalhadora contra a exploração capitalista é necessariamente uma luta política. A classe trabalhadora não pode conduzir suas lutas econômicas nem desenvolver seus direitos políticos sem tomar posse do poder político.

Fazer da luta da classe trabalhadora uma luta consciente e uniforme e indicar a ela seu escopo inexorável – tal é a tarefa do Partido Social-Democrata.

Os interesses da classe trabalhadora são os mesmos em todos os países com modo de produção capitalista. Com a expansão do intercâmbio mundial e da produção para o mercado mundial, a situação dos trabalhadores de cada um desses países torna-se cada vez mais dependente da situação dos trabalhadores nos outros países. A libertação da classe trabalhadora é assim uma obra da qual participam, em igual medida, os trabalhadores de todos os países civilizados. Ciente disso, o Partido Social-Democrata da Alemanha sente-se e declara-se em união com os trabalhadores conscientes de sua classe em todos os países.

O Partido Social-Democrata da Alemanha luta, portanto, não por novos privilégios e imunidades de classe, mas pela abolição do domínio de classe e das próprias classes e por iguais direitos e iguais deveres para todos, sem distinção de sexo e ascendência. Partindo dessa concepção, ele combate na sociedade atual não apenas a exploração e a opressão do trabalhador assalariado, mas toda forma de exploração e opressão, seja ela voltada contra uma classe, um partido, um sexo ou uma raça.

Partindo desses princípios, o Partido Social-Democrata da Alemanha exige imediatamente:

1. Sufrágio universal, igual e direto, com voto secreto garantido a todos os membros do Império maiores de 20 anos, sem distinção de sexo, para todas as eleições e votações. Sistema eleitoral proporcional e, até que este seja introduzido, nova divisão legal dos distritos eleitorais após cada senso populacional. Intervalo eleitoral de dois anos. Realização das eleições e votações num dia oficial de folga. Recompensa para o representante eleito. Supressão de todas as limitações aos direitos políticos, a não ser em casos de interdição.
2. Legislação direta pelo povo, com direito a proposição e veto. Autodeterminação e autoadministração do povo no Império, no Estado, na província e no município. Eleição das autoridades pelo povo; responsabilidade e punibilidade das autoridades. Aprovação anual dos impostos.

3. Instrução para defesa geral. Milícia popular no lugar do exército permanente. Decisão sobre guerra e paz mediante representação popular. Mediação de todos os conflitos internacionais por tribunais de arbitragem.
4. Abolição de todas as leis que limitam ou suprimem a livre expressão da opinião e o direito de associação e reunião.
5. Anulação de todas as leis que prejudicam a mulher em benefício do homem, seja numa relação de direito público, seja de direito privado.
6. Declaração da religião como questão privada. Abolição de toda aplicação de recursos públicos para fins religiosos ou eclesiásticos. As comunidades eclesiásticas e religiosas devem ser consideradas associações privadas que tratam seus assuntos de modo totalmente independente.
7. Secularização das escolas. Frequentação obrigatória das escolas primárias públicas. Gratuidade do ensino, dos materiais didáticos e da alimentação nas escolas primárias, assim como nos estabelecimentos públicos de ensino superior, para aqueles estudantes que, graças à sua capacidade, são considerados aptos a uma educação ulterior.
8. Gratuidade da justiça e da assistência jurídica. Jurisdição mediante juízes eleitos pelo povo. Apelação em causas penais. Indenização para os inocentes injustamente acusados, presos e condenados. Abolição da pena capital.
9. Gratuidade da assistência médica, inclusive obstetrícia e medicamentos. Gratuidade dos sepultamentos.
10. Imposto de renda e de patrimônio progressivos para o custeio de todos os gastos públicos, numa medida tal que estes possam ser cobertos pelos impostos. Imposto de herança gradualmente progressivo de acordo com o volume da herança e do grau de parentesco. Abolição de todos os impostos indiretos, tarifas alfandegárias e demais medidas político-econômicas que sacrificam os interesses da coletividade aos interesses de uma minoria privilegiada.

Para a proteção da classe trabalhadora, o Partido Social-Democrata da Alemanha exige imediatamente:

1. Uma legislação eficaz de proteção dos trabalhadores, nacional e internacional, sobre os seguintes fundamentos:
   a) Consolidação de uma jornada normal de trabalho de oito horas no máximo;
   b) Proibição do trabalho remunerado para crianças menores de catorze anos;
   c) Proibição do trabalho noturno, a não ser para aqueles ramos da indústria que, em virtude de sua natureza, requerem trabalho noturno por razões técnicas ou em nome do bem-estar público;
   d) Um período de descanso de no mínimo 36 horas por semana para cada trabalhador;
   e) Proibição do pagamento dos trabalhadores com mercadorias.
2. Vigilância de todos os estabelecimentos industriais, investigação e regulação das relações de trabalho na cidade e no campo mediante uma secretaria do trabalho do Império, secretarias distritais do trabalho e câmaras do trabalho. Rigorosa higiene industrial.
3. Equiparação legal dos trabalhadores agrícolas e empregados domésticos com os trabalhadores da indústria; eliminação dos Regulamentos da Criadagem*.
4. Asseguramento do direito de associação.
5. Assunção por parte do Império da seguridade total do trabalhador, com a cooperação ativa dos trabalhadores em sua administração.

* Leis prussianas que regulavam – e asseguravam – a submissão do criado ao patrão. As leis da criadagem só foram abolidas na Alemanha em 1918, juntamente com a introdução do voto feminino. (N. T.)

ATAS DO CONGRESSO DE GOTHA* (EXCERTOS)

[...] Liebknecht toma a palavra como relator da questão do programa. Na introdução de seu discurso, explica que o programa apresentado para aprovação não é um programa ideal, mas sim prático, um programa de compromisso. Ele tem de contentar às duas distintas correntes existentes no partido. Objetou-se que o programa não era detalhado; mas um programa deve ser curto e precisar, com o mínimo possível de palavras, os objetivos finais do partido. Com uma brochura, posteriormente será possível tratar de modo mais minucioso cada ponto individual do programa; também a imprensa do partido desempenhará essa função.

O orador passa então aos pontos singulares do programa e, com a aquiescência da comissão [de redação], incumbe-se de apresentar a parte inicial do programa, com as seguintes palavras:

> O trabalho é a fonte de toda riqueza e toda cultura, e como o trabalho universalmente útil só é possível por meio da sociedade, o produto total do trabalho pertence à sociedade, isto é, a todos os seus membros, com obrigação universal ao trabalho, com igual direito, a cada um segundo suas necessidades razoáveis.
> Na sociedade atual, os meios de trabalho constituem monopólio da classe capitalista; a dependência da classe trabalhadora, condicionada por esse fato, é a causa da miséria e da servidão em todas as suas formas.

---

* "Atas do Congresso de Unificação dos Sociais-Democratas da Alemanha, realizado em Gotha, de 22 a 27 de maio de 1875." (N. T.)

> A libertação do trabalho requer a transformação do meio de trabalho em patrimônio comum da sociedade e a regulação cooperativa do trabalho total, com uma distribuição justa do fruto do trabalho e seu emprego para a utilidade comum.

A redação sugerida, prossegue o relator, desvia-se em vários aspectos do esboço original, mas as mudanças são todas necessárias, sem exceção. O primeiro parágrafo, na primeira versão, não estava suficientemente claro, sobretudo porque não excluía a possibilidade de que os aproveitadores do trabalho alheio também tivessem legitimidade para tomar parte dos frutos do trabalho. Por isso, ressaltou-se a obrigação geral ao trabalho, o que é plenamente compatível com um programa operário e forma a base da sociedade socialista, ao passo que o chamado direito de trabalho, ou direito ao trabalho, é um conceito absolutamente reacionário. O trabalho é uma necessidade, sem trabalho os homens não podem viver, e falar de um direito ao trabalho é tão absurdo quanto falar de um direito à vida. Além disso, foi preciso inserir no programa a obrigação da sociedade de fazer com que sejam dados a cada um, segundo suas necessidades, os produtos do trabalho social, pois nessa exigência mostra-se o caráter moral e humano do socialismo diante da doutrina burguesa, que proclama a guerra de todos contra todos e sacrifica o mais fraco ao mais forte. Achei necessário fazer com que a palavra "necessidades" fosse seguida de "razoáveis", a fim de evitar incompreensões intencionais e não intencionais.

Contra o segundo ponto, não foi levantada nenhuma objeção. A contradição que poderia haver no terceiro ponto, em relação ao primeiro – que seria a de que aquele de certo modo representa, como se disse, o "comunismo puro" –, foi eliminada pelas modificações sugeridas e pelos acréscimos feitos ao primeiro ponto. "Distribuição justa" do produto do trabalho é uma exigência plenamente socialista ou, caso se prefira, comunista, pois hoje em dia não existe mais diferença entre comunismo e socialismo. Nenhum social-democrata alemão se encontra mais no plano do velho socialismo pequeno-burguês, que reconhecia a propriedade privada dos meios de trabalho.

De várias partes surgiu a errônea afirmação de que, conforme o texto do esboço, todas as outras classes seriam, diante da classe trabalhadora, uma única massa reacionária. Essa acusação, no entanto, é um fardo leve de carregar, pois hoje em dia há, de fato, apenas duas grandes classes contrapostas uma a outra: a dos possuidores e a dos não possuidores, tendo desaparecido todas as classes intermediárias, como podemos observar diariamente. Pequeno-burgueses e pequenos camponeses pertencem, na realidade, à classe trabalhadora e têm, por isso, de caminhar com os trabalhadores. De resto, todos os partidos anteriores, especialmente os da classe média, só foram revolucionários até o momento de sua chegada ao poder.

A passagem que trata da relação entre os âmbitos nacionais e internacionais fora concebida de forma bastante defeituosa no esboço e encontrava-se no lugar errado. Ela pertence à seção seguinte, pois não expressa nenhum princípio geral, mas simplesmente nossa posição, a dos trabalhadores alemães, em relação ao movimento operário geral, internacional, cosmopolita. O segundo parágrafo, na nova versão ora proposta, diz:

> Partindo desses princípios, o Partido Operário Socialista da Alemanha visa, por todos os meios legais, alcançar o Estado livre e a sociedade socialista, a quebra [*Zerbrechung*] da lei de bronze do salário por meio da abolição do sistema do trabalho assalariado, a supressão [*Aufhebung*] da exploração em todas as suas formas, a eliminação de toda desigualdade social e política.
> O Partido Operário da Alemanha, embora atuando inicialmente no âmbito nacional, está consciente do caráter internacional do movimento operário e decidido a cumprir todas as obrigações que esse movimento impõe aos trabalhadores para realizar a fraternização de todos os homens.

No que diz respeito ao nome do novo partido a ser fundado, o nome Partido Operário Alemão poderia levantar a suspeita de que somos vítimas de preconceitos nacionais. O nome "Partido Operário da Alemanha" exclui tal concepção. Há apenas um partido operário, cujos membros, porém, residem em diferentes países. Estamos unidos ao partido operário de todos os outros Estados civilizados, mas pelo acaso do nascimento somos o Partido Operário da Alemanha, assim como os socialistas franceses, os ingleses e os americanos formam os partidos operários da França, da Inglaterra e da América. Somos a tropa alemã do grande exército operário cosmopolita internacional. Residimos na Alemanha. *Hic Rhodus, hic salta**. É aqui, na Alemanha, que inicialmente temos de lutar, mas estamos conscientes, como está escrito na segunda parte deste parágrafo, de nossa comunhão com nossos irmãos que vivem em outros países e estamos decididos a cumprir nossas obrigações internacionais.

Repreenderam-nos por nos chamarmos Partido Operário [*Arbeiterpartei*]; disseram que, com isso, limitamos a determinada classe da população o movimento socialista, que é um movimento humano geral e busca atingir um fim humano geral. Mas essa objeção não tem fundamento. A palavra trabalhador [*Arbeiter*] não tem absolutamente nenhum caráter exclusivo. O trabalho é a atividade própria da espécie humana. O trabalho é o especificamente humano, aquilo que diferencia o homem do animal. É apenas por meio do trabalho que o homem se torna homem. Portanto, trabalhador significa homem, como homem que atua sobre si mesmo; e não nos chamamos Partido Operário apenas porque reconhecemos o trabalho como única base econômica da sociedade, o trabalhador como único membro profícuo da sociedade – razão pela qual escrevemos, em nossa bandeira, a obrigação geral ao trabalho –, mas também porque reconhecemos o caráter legitimamente humano do trabalho, pois o trabalho é o único suporte da civilização e da humanidade; de modo que Partido Operário significa: o partido dos verdadeiros guerreiros da civilização, o partido dos homens que lutam pela civilização e pela humanidade.

Contra a expressão "lei de bronze do salário", inúmeras objeções foram levantadas, e não sem razão. Uma "lei de bronze" é, segundo o uso comum da linguagem, eterna; houvesse uma lei de bronze do salário, nosso movimento estaria, desde sempre, condenado à esterilidade. Além do mais, o que se entende por essa expressão cai com o sistema do trabalho assalariado capitalista, contra o qual nossa luta é

* "Aqui é Rodes, aqui deves dançar!": referência à citação de Esopo, modificada por Marx e empregada, em referência a Hegel, em *O 18 de brumário de Luís Bonaparte* (São Paulo, Boitempo, 2011). (N. T.)

direcionada. Quando isso ocorrer, também deixará de existir aquilo que se chama "lei de bronze do salário". Portanto, a expressão é tanto supérflua quanto incorreta.

[...] A passagem relativa às cooperativas de produção foi guarnecida de cláusulas que apontam para todas as direções a fim de evitar equívocos e impossibilitar experimentos reacionários dos socialistas imperiais; inserindo "socialistas" antes de "cooperativas de produção", evita-se um sem-número de falsas interpretações. Mas as cooperativas de produção socialistas não podem ser criadas como experimentos individuais, por assim dizer, como prêmios para uma categoria qualquer de trabalhadores; ao contrário, devem ser criadas, na indústria e na agricultura, numa extensão tal que delas possa surgir a organização socialista da coletividade.

Em relação ao sufrágio, seria melhor – já que o princípio de igualdade por nós proclamado implica a equiparação plena da mulher [ao homem] – escrever "membros do Estado", em vez de "homens". Como argumento contra o direito da mulher ao voto, afirma-se com frequência que as mulheres não possuem instrução política. Ora, há também muitos homens que se encontram na mesma situação, de modo que também não deveríamos permitir que esses homens pudessem votar. O "rebanho eleitoral", que se pôde ver em todas as eleições, não consistia de mulheres. Um partido que escreve a igualdade em sua bandeira golpeia a própria face se nega direitos políticos à metade do gênero humano.

Quanto à legislação direta pelo povo, é melhor deixar de lado as expressões "com direito de proposição e veto", pois estas acabam por atenuar a força da proposição.

A instrução militar geral é algo tão óbvio que não há necessidade de acrescentar mais nada sobre o assunto, porém pode-se questionar se seria desejável, agora, delegar a decisão sobre a guerra e a paz a todo o povo, em vez de à representação popular, já que, não existindo uma educação geral, um governo sem escrúpulos poderia facilmente, com a ajuda dos votos da maioria da população, provocar uma guerra igualmente inescrupulosa, como à que assistimos hoje. É claro que, em nosso esboço, não se deve entender por representação do povo o parlamentarismo atual, pois este está falido, e talvez o único mérito do príncipe Bismarck tenha sido acelerar a falência do parlamentarismo. Ademais, seria recomendável, para evitar incompreensões, que no lugar de "representação do povo" constasse simplesmente "povo". Assim, não se poderia encontrar em nosso programa qualquer reconhecimento do moderno sistema representativo.

Quando exigimos jurisdição pelo povo, não entendemos por isso – como afirmam nossos adversários, a fim de nos ridicularizar – os antigos valores gregos, romanos e germânicos, que davam poder judicial ao conjunto do povo reunido nos mercados públicos, mas queremos que a jurisdição, bem como o poder legislativo, possa ser uma emanação da soberania popular. Do mesmo modo, não queremos nada com os atuais tribunais do júri, que não passam de tribunais de classe, assim como nossa atual legislação nada mais é do que legislação de classe. A Justiça deve deixar de ser um monopólio de classe. Apenas na sociedade socialista a Justiça se torna justa. No entanto, o detalhamento desse ponto em especial nos levaria, aqui, longe demais.

A introdução do imposto progressivo no lugar de todos os impostos existentes, sobretudo os impostos indiretos que escorcham povo, faz-se necessária, naturalmente, apenas para o estágio transitório da atual sociedade para a sociedade futura, já que no Estado social-democrata não será preciso arrecadar impostos, tal como hoje a palavra é entendida. Sugerimos o acréscimo "que escorcham o povo" porque pode ocorrer o caso de precisarmos apoiar, em defesa do trabalho socialista, tarifas de importação contra aqueles países que não introduziram nenhuma redução da jornada normal de trabalho e não submetem o trabalho das mulheres e o trabalho infantil a qualquer limitação razoável.

Para a proteção da classe trabalhadora contra o poder capitalista dentro da sociedade atual, exigimos uma jornada de trabalho normal correspondente às necessidades da sociedade e a proibição do trabalho dominical. A proibição do "trabalho noturno" foi deixada de lado pela comissão [de redação], pois este, em certos casos, também será necessário no interior da produção socialista e só precisará ser repartido de modo razoável.

Instrução gratuita é algo óbvio. Além disso, temos de ressaltar que a religião é uma questão privada e, assim, a exigência da "liberdade de consciência" é supérflua. Desde que o embaixador de Bismarck em Londres, o conde Münster, apresentou a reacionária Prússia, que atualmente trava a *Kulturkampf**, como o "Estado da liberdade de consciência", tal expressão tornou-se intragável para nós.

Pode ser que no programa haja muitas coisas que não agradem a uns ou outros, mas ele mesmo é capaz de progredir. O socialismo não é um mero partido político, mas uma ciência. Desenvolvemo-nos, avançamos, o trabalho intelectual é ininterrupto, novas ideias assumem novas formas e o que hoje parece inacessível a alguém poderá estar diante de seus olhos no espaço de um ano, e aquilo que a outro parece reacionário será excluído a partir do momento que seu caráter reacionário tenha sido provado de modo convincente. Aprovemos, portanto, o programa por inteiro, tal e qual nos é proposto pela comissão.

[...] Hasenclever declara o conceito de "razão" como tão difícil de precisar quanto o conceito de "direito". Num Estado socialista, a humanidade estará evoluída a tal ponto que terá apenas necessidades razoáveis. Por essa razão, a palavra "razoável", que antecede "necessidades", deveria ser excluída.

Strecker propõe que seja inserida a frase "exigir de cada um igual esforço".

Liebknecht: Igual esforço não se poderia exigir, pois as forças não são iguais. Recomendo a palavra "razoável", porque evita falsas interpretações dessa passagem por parte de nossos adversários.

[...] Dr. Dulk pergunta de que modo a palavra "útil" deve ser entendida. Liebknecht responde que "universalmente útil" deve ser entendido como "útil para a sociedade", isto é, como trabalho socialmente útil, em contraste com exteriorizações da força que se direcionam apenas para a satisfação de uma necessidade puramente individual.

* Cf. supra, p. 46, nota *. (N. T.)

[...] Drogand: A lei de bronze do salário é a base da doutrina de Lassalle, não se pode negá-la sob pena de suprimir todo o conjunto dos escritos lassallianos.

Kuhl declara a lei de bronze do salário como a raiz fundamental da doutrina socialista.

Fritzche: Liebknecht não negou a lei de bronze do salário, apenas constatou que ela é "de bronze" na atual sociedade, mas que na sociedade futura será abolida.

Bebel: Nós reconhecemos a lei de bronze do salário no Estado atual. As palavras relativas à lei de bronze do salário podem, pelo fato de dizerem algo absolutamente óbvio, ser descartadas, mas, para evitar incompreensões, não proponho sua supressão.

Liebknecht: Apenas me declarei contra a expressão "de bronze", que traz com ela uma ideia de rigidez e imutabilidade que não deve ser aplicada à lei do salário, e disse que a "lei de bronze do salário" é uma consequência do trabalho assalariado e, como tal, obviamente deve desaparecer com sua causa; portanto, é ilógico mencionar expressamente, ao lado da abolição do trabalho assalariado, a abolição da lei do salário.

Hasselmann é a favor da manutenção do termo. Nenhum homem pode crer que numa sociedade socialista existirá tal lei, mas ela tem, hoje, o efeito de uma lei natural. Se, por um lado, ela não deveria nem sequer constar do léxico atual, por outro, constitui uma boa arma contra nossos oponentes. Se, por exemplo, estes argumentarem que as relações podem ser alteradas sem ser necessária uma transformação socialista do Estado, então se poderá lançar contra eles essa expressão.

A proposta da comissão é aprovada. [...]

RESUMO CRÍTICO DE *ESTATISMO E ANARQUIA*, DE MIKHAIL BAKUNIN (1874)* (EXCERTOS)

[...] Convencidos de que as massas populares carregam todos os elementos de sua organização normal futura em seus *instintos* mais ou menos desenvolvidos pela história, em suas necessidades diárias e em seus anseios conscientes ou inconscientes, buscamos aquele ideal (a organização social) no próprio povo, e como todo poder **estatal**, toda autoridade está colocada, segundo sua essência e sua condição, fora do povo, sobre ele, ela tem inevitavelmente de procurar impor-lhe regras e objetivos estranhos, razão pela qual nos declaramos inimi-

* Após a derrota final dos anarquistas no Congresso de Haia, em 1872, e a expulsão de Bakunin, o livro *Gosudarstvennost' i Anarkhiya* (*Estatismo e anarquia*, cit.), parte I, publicado anonimamente em Zurique no fim de 1873, só podia chamar a atenção de Marx. Com essa série de textos, Bakunin pretendia esclarecer as discordâncias ideológicas entre marxistas e bakuninistas na Internacional e apresentar aos leitores russos suas doutrinas anarquistas, mas as partes ulteriores não foram publicadas. É difícil precisar quando Marx teria começado o resumo dessa obra de Bakunin. É possível que isso tenha acontecido no fim de 1874. Na carta a Wilhelm Bracke de 5 de maio de 1875 (cf. supra, p. 19), ele fala de um "texto recente, publicado em russo", de Bakunin. Algumas semanas antes, Engels também se referiu a essa obra na carta a Bebel de 18-28 de março de 1875 (cf. supra, p. 51). O próprio Marx informa o ano de 1875 na primeira folha do caderno em que fez o resumo. Mais tarde, Engels, ao revisar o legado literário de Marx, também escreveu "1875" na etiqueta do caderno em que o resumo fora passado a limpo. Na maior parte do resumo, Marx traduz o texto diretamente do russo para o alemão e de modo bastante literal; há várias passagens, porém, em que ele copia o texto original sem traduzi-lo ou o coloca entre parênteses, junto da tradução. Os poucos casos em que a tradução de Marx altera o sentido dos termos são indicados nas notas de rodapé. As intervenções de Marx se diferenciam do texto de Bakunin pela fonte maior e pela ausência de recuo. Os negritos indicam as palavras que não foram traduzidas por Marx, mas aparecem traduzidas na edição alemã. A seleção de textos da presente edição limita-se à segunda metade do resumo, dedicada fundamentalmente às críticas de Bakunin ao "estatismo" de Marx e Lassalle, à defesa de Lassalle contra Marx, à concepção da "ditadura do proletariado" e à relação do marxismo com o campesinato. Os números de páginas entre parênteses referem-se ao original consultado por Marx. (N. T.)

gos de toda autoridade, de todo poder **estatal**, inimigos da organização estatal em geral, e acreditamos que o povo só poderá ser feliz e livre quando **configurar sua vida por si mesmo**, organizando-se de **baixo para cima** em associações autônomas e absolutamente livres, e **livre de** toda tutela oficial, **mas não livre de diferentes e, ao mesmo tempo, livres influências de pessoas e partidos** (p. 213). Tais são as "convicções da revolução social e, por isso, somos chamados de anarquistas" (p. 213). Os idealistas de todo tipo, metafísicos, positivistas, defensores do predomínio da ciência sobre a vida, revolucionários doutrinários, todos juntos, com igual voracidade, embora com diferentes argumentos, protegem a ideia do **Estado** e do poder **estatal**, nele vendo, à sua maneira *de forma muito lógica*, a única salvação da sociedade. *De forma muito lógica* porque, aceitando como fundamento a **tese** de que *o pensamento antecede a vida, a teoria abstrata antecede a prática social e, por isso, a ciência sociológica tem de ser o ponto de partida para as revoluções e transformações sociais*, chegam eles necessariamente à conclusão de que o pensamento, a teoria, a ciência, não são, ao menos em nosso tempo, acessíveis a muita gente, razão pela qual alguns poucos têm de conduzir a vida social e ser não apenas os que despertam, como também os que conduzem todos os movimentos populares, e, no dia seguinte à revolução, a nova organização social tem de ser fundada não pela livre associação de organizações populares, comunidades, **distritos**, **regiões**, **de baixo para cima**, em correspondência com as necessidades e os instintos populares, mas tão somente pelo poder ditatorial daquela douta minoria, mesmo que eleita pela **vontade de todo o povo** (p. 214).

Por isso, os "revolucionários doutrinários" não são jamais inimigos do **Estado**, mas apenas dos governos existentes, cujo lugar querem tomar como ditadores (p. 215).

E é tão certo que isso é assim que, em nosso tempo, quando a reação vence em toda a Europa, quando todos os governos etc. preparam-se, sob liderança do conde Bismarck, para uma luta desesperada contra a revolução social, quando parece que todos os revolucionários sinceros teriam de se unir para resistir à ofensiva desesperada da reação internacional, vemos, ao contrário, que os revolucionários doutrinários, sob liderança do sr. Marx, tomam por toda a parte o lado da **estatalidade** e **da idolatria estatal** contra a ***revolução popular*** (p. 216). Na França, eles se alinharam com Gambetta, estadista e republicano reacionário, contra a revolucionária Ligue du Midi*, a única que poderia salvar a França tanto da submissão à Alemanha quanto da coalizão, ainda muito perigosa e agora vitoriosa, de clérigos, legitimistas, bonapartistas e orleanistas; *na Espanha, alinharam-se abertamente a Castelar, a Pi y Margall e à constituinte de Madri*; por fim, na Alemanha e em seus arredores – Áustria, Suíça, Holanda, Dinamarca – servem ao conde Bismarck, que veem, *conforme declaram, como um **estadista** revolucionário muito útil* e ajudam-no na pangermanização de todos esses países (p. 216-7).

---

* Comitê republicano formado em Marselha, em 18 de setembro de 1870, com o objetivo de defender a Terceira República francesa. Acusada de separatismo, foi dissolvida em 28 de dezembro de 1870. (N. T.)

(Feuerbach ainda era metafísico: "teve de ceder lugar a seus sucessores **legítimos**, aos representantes da escola dos materialistas ou realistas, da qual, de resto, grande parte, por exemplo, os senhores *Büchner, Marx* e outros", ainda não se libertaram "do domínio do pensamento metafísico abstrato" [p. 207].) Mas o principal propagandista do socialismo na Alemanha, de início secreto e logo depois público, foi *Karl Marx*. O sr. Marx desempenhou e desempenha um papel demasiado importante no movimento socialista do proletariado alemão para que nos fosse possível desconsiderar essa notável personalidade, sem procurar defini-la com alguns traços verdadeiros. Sua ascendência, de acordo com o sr. Marx, é hebraica. Ele reúne em si, pode-se dizer, todas as qualidades e todos os defeitos dessa talentosa linhagem. Nervoso, como dizem alguns, até a covardia, é extraordinariamente ambicioso e vaidoso, brigão, intolerante e absolutista como Jeová, o Deus de seus antepassados e, tal como ele, vingativo até a loucura. Não há mentira ou calúnia que ele não seja capaz de lançar contra aquele que tenha a desventura de despertar seu ciúme ou, o que é absolutamente o mesmo, seu ódio. E ele não se detém diante de nenhuma intriga, por mais **sórdida** que seja, desde que essa intriga, segundo sua opinião – que, aliás, é equivocada na maioria das vezes –, possa servir para o fortalecimento de sua posição, sua influência ou seu poder. Nessa relação, ele é um **homem** totalmente político. Tais são suas qualidades negativas. Mas também há nele muitas qualidades positivas. É muito **inteligente** e dotado de uma **erudição** extremamente multifacetada. Doutor em filosofia, em 1840 já era em Colônia, pode-se dizer, a alma e o centro de um círculo muito significativo de proeminentes hegelianos, com os quais começou a publicar um jornal oposicionista, logo reprimido por ordem ministerial. A esse círculo pertenciam os irmãos Bruno e Edgar Bauer, Marx, Stirner e, em Berlim, o primeiro círculo de niilistas alemães, que, com suas consequências cínicas, ultrapassavam em muito os mais fervorosos niilistas da Rússia. Em 1843 ou 1844, Marx transferiu-se para Paris. Lá, *reuniu-se pela primeira vez* com a sociedade de comunistas franceses e alemães e com seu compatriota, o hebreu-alemão sr. Moritz Hess[1], que já antes dele era um douto economista e socialista que, naquele tempo, exerceu influência significativa no desenvolvimento científico do sr. Marx. Raramente se pode encontrar alguém que **saiba** tanto e tenha lido tanto, e de modo **tão *inteligente***, como o sr. Marx. O objeto exclusivo de sua ocupação já era, naquela época, a ciência econômica. Com especial avidez, estudou os economistas ingleses – que superam todos os outros pela positividade de seus conhecimentos e pela orientação prática de seu espírito, nutrido pelos fatos econômicos ingleses e pela rigorosa crítica e sincera audácia de suas consequências. Mas, a tudo isso, o sr. Marx acrescentou ainda dois novos elementos: a dialética mais abstrata, **mais grotescamente sofística**, que ele adquiriu na escola hegeliana e não raro encarregou-se de conduzir **ao endiabramento, à perversão**, e o ponto de vista da orientação comunista. O sr. Marx leu, compreende-se, todos os socialistas franceses, de Saint-Simon a Proudhon, e este último, como é sabido, ele odiava, e não há dúvida de que existem

[1] Moses Hess. (N. E. A.)

muitas verdades na crítica impiedosa que lançou contra Proudhon: este, apesar de todo o seu esforço para se manter no solo da realidade, é um idealista e um metafísico. Seu ponto de partida é a ideia abstrata do direito; do direito, ele parte para o fato econômico, mas o sr. Marx, em oposição a ele, sustentou e provou a verdade indubitável, apoiada sobre toda a história passada e presente dos povos e dos Estados, de que o fato econômico antecedeu e antecede por toda a parte o direito jurídico e político. Na **exposição** e comprovação dessa verdade reside propriamente um dos grandes méritos científicos do sr. Marx. Mas o que é sobretudo notável e constitui aquilo que o sr. Marx jamais admitiu, é que ele, no que tange à política, é um discípulo direto do sr. Louis Blanc. O sr. Marx é incomparavelmente **mais inteligente** e mais erudito do que aquele **pequeno e frustrado** revolucionário e estadista: porém, como alemão, apesar de **sua respeitável figura corpulenta**, caiu nas garras da doutrina do nanico francês. Aliás, essa esquisitice tem uma explicação muito simples: o retórico francês, como político burguês e partidário esclarecido de Robespierre, e o erudito alemão, em sua tríplice qualidade de hegeliano, hebreu e alemão, são ambos fanáticos **adoradores do Estado** e pregam o comunismo **de Estado**, com a simples diferença de que um se contenta com declamações retóricas, em vez de argumentos, e o outro, como é apropriado a um erudito e *painstaking** alemão, sustenta esse mesmo dileto princípio usando de todo malabarismo da dialética hegeliana e de toda a riqueza de seus versáteis conhecimentos. Por volta de 1845, o sr. Marx encontrava-se à frente dos comunistas alemães e, então, juntamente com o sr. *Engels*, seu amigo inabalável, igualmente inteligente, embora menos erudito, porém dotado de maior senso prático e não menos afeito à calúnia, à mentira e à intriga políticas, fundou uma sociedade secreta de comunistas alemães ou socialistas **de Estado**. Seu comitê central – cujo chefe era ele próprio e o sr. Engels, é óbvio – foi transferido em 1846, por ocasião da perseguição aos dois, de Paris para Bruxelas, lá permanecendo até 1848. De resto, até esse ano sua propaganda permaneceu secreta **e, por isso, não veio a público**, embora tenha sido bastante difundida por toda a Alemanha (p. 221-5). Na época [da Revolução de 1848], o proletariado urbano na Alemanha, ou ao menos sua gigantesca maioria, ainda estava fora da influência da propaganda de Marx e da organização de seu partido comunista. Este se espalhou sobretudo nas cidades industriais da Prússia renana, sobretudo em Colônia; há ramificações em Berlim, Breslau e, **por fim**, em Viena, mas são muito fracas. Instintivamente, o proletariado alemão realiza esforços socialistas, é claro, mas não lança as exigências conscientes da convulsão social de 1848-1849, embora o *Manifesto Comunista* já tivesse sido publicado em 1848. Este passou quase despercebido pelo povo alemão. O proletariado urbano alemão ainda se encontrava diretamente sob influência do partido político radical ou, no máximo, da democracia (p. 230). Naquele tempo, ainda havia na Alemanha um elemento que hoje não existe mais: um campesinato revolucionário ou, no mínimo, pronto para se tornar revolucionário... Eles estavam prontos para

* "Meticuloso". (N. T.)

tudo, até mesmo para uma **sublevação geral**. Em 1848, como em 1830, o que os liberais e radicais alemães mais temiam era uma **sublevação**; os socialistas da escola marxista também não nutriam amor por ela. É notório que Ferd[inand] Lassalle, que, segundo seu próprio testemunho, era discípulo direto do supremo líder do partido comunista na Alemanha – o que todavia não impediu que o mestre, após a morte de Lassalle, exprimisse uma insatisfação ciumenta e invejosa (desgostosa) em relação ao brilhante discípulo, que, no que tange às relações práticas, deixava o mestre em muito para trás; é notório [...] que Lassalle exprimiu várias vezes a ideia de que a derrota da revolta camponesa no século XVI e o decorrente fortalecimento e florescimento do **Estado** burocrático na Alemanha representou uma vitória para a revolução. Para os democratas comunistas ou socialistas da Alemanha, o campesinato, todo campesinato, é reacionário; e o **Estado**, todo **Estado**, mesmo o bismarckiano, é revolucionário. Só não se deve pensar que estamos a caluniá-los. Como prova de que eles de fato pensam assim, faremos menção aos seus discursos, brochuras, opiniões jornalísticas e, *por fim, suas cartas* – em seu devido tempo, tudo isso será (exposto) ao público russo. De resto, os marxistas não podem pensar de modo diferente; adoradores do Estado a todo custo, têm de amaldiçoar toda revolução popular, em especial a camponesa, camponesa[2] por natureza e diretamente voltada para a destruição do Estado. Como pangermanistas que tudo devoram, têm de repudiar a revolução camponesa pelo fato de ser uma revolução especificamente eslava (p. 230-2). "Não apenas em 1848, como também atualmente, os trabalhadores alemães se submetem cegamente a seus líderes, enquanto estes, os organizadores do Partido Social-Democrata Alemão, não os conduzem nem à liberdade nem à fraternidade internacional, mas ao jugo do **Estado** pangermânico (p. 254).

Bakunin relata quanto Frederico *Guilherme IV* temia Nicolau (resposta à delegação polonesa, março de 1848, e em Olmütz, novembro de 1850) (p. 254-7).

1849-1858: a Federação Alemã não é mais considerada pelas outras grandes potências. "*A Prússia era, mais do que nunca, escrava da Rússia*... O devotamento aos interesses da corte de São Petersburgo ia tão longe que o ministro da Guerra prussiano e o enviado da Prússia à corte inglesa, amigo do rei, foram ambos dispensados quando expressaram simpatia pelas potências ocidentais". Nicolau ficou furioso com a ingratidão de Schwarzenberg e da Áustria. A Áustria, que por causa de seus interesses no leste era um inimigo natural da Rússia, com frequência tomou contra ela o partido da Inglaterra e da França. "A Prússia, para grande indignação de toda a Alemanha, permaneceu **fiel até o fim**" (p. 259). "Manteuffel tornou-se primeiro-ministro em novembro de 1850 com o intuito de assinar todas as condições da Conferência de Olmützer, extremamente degradantes para a Prússia, e, por fim, submeter esta última e toda a Alemanha à hegemonia da Áustria. Essa era a

[2] Em Bakunin, "anarquista". (N. E. A.)

vontade de Nicolau (...), e essas eram também as ambições da maioria dos *Junkers*, ou da nobreza prussiana, que também não queriam nem ouvir falar da fusão da Prússia com a Alemanha e curvavam-se mais ao imperador austríaco (?) e russo do que ao seu próprio rei" (p. 261). Naquele tempo (1866 em diante), formou-se o chamado Partido Popular, com centro em Stuttgart. Um grupo favorável à união com a republicana Suíça foi o principal fundador da Ligue de la Paix et de la Liberté[3] (p. 271).

"Lassalle preferiu formar um partido político dos trabalhadores alemães, organizou-o hierarquicamente, submeteu-o a uma rígida disciplina e a sua ditadura, numa palavra, fez aquilo que o sr. Marx queria fazer nos três anos seguintes na Internacional. A tentativa de Marx fracassou, mas a de Lassalle obteve pleno sucesso" (p. 275).

"*A primeira ação do* **Estado** *popular*" (segundo Lassalle) "será a abertura de crédito ilimitado para as associações de produção e consumo dos trabalhadores, que apenas então estarão em condições de lutar contra o capital burguês e, num prazo não muito distante, vencê-lo e devorá-lo. Quando o processo de devoração estiver consumado, então começará o período da transformação radical da sociedade. Esse é o programa de Lassalle e, igualmente, o programa do Partido Social-Democrata. A rigor, ele não pertence a Lassalle, mas a Marx, que o **expôs** plenamente no conhecido *Manifesto do Partido Comunista*, publicado por ele e por Engels em 1848. **Prova incontestável disso** encontra-se no próprio primeiro *Manifesto da Associação Internacional*, escrito por Marx em 1864, com as seguintes palavras: 'O primeiro dever das classes trabalhadoras' etc., ou, como consta do *Manifesto Comunista*: 'O primeiro passo na revolução' etc., e termina com: todos os meios de produção se concentrarão 'nas mãos **do Estado**', isto é, do proletariado, **que se organiza como classe**[4] **dominante**" (p. 275-6). Mas isso não fica **claro**, uma vez que o programa de Lassalle não se diferencia em nada do programa de Marx, que ele reconheceu como seu mestre. Na brochura contra Schulze--Delitzsch, Lassalle (...), depois de discutir seus conceitos fundamentais sobre o desenvolvimento sociopolítico da sociedade contemporânea, diz claramente que essas ideias, o mesmo valendo para a terminologia utilizada, não pertencem a ele, mas ao sr. Marx (...). Tanto mais curioso parece o protesto do sr. Marx, impresso *após a morte de Lassalle*, no prefácio de *O capital*. Marx reclama com amargura que Lassalle o plagiou, tendo se apropriado de suas ideias. O protesto é muito **curioso** da parte de um comunista que prega a propriedade coletiva, mas não entende que a ideia, uma vez expressa, deixa de ser propriedade de uma pessoa. E mais: se Lassalle tivesse copiado **uma ou algumas páginas** (...)" (p. 276). "Ao contrário de seu mestre Marx, que é muito forte na teoria, nas intrigas de bastidores ou subterrâneos, mas perde toda importância ou força sobre o palco público, Lassalle era talhado por natureza para a luta aberta no terreno prático" (p. 277). "Toda a burguesia liberal e democrática o odiava profundamente; os **correligionários**, socialistas, marxis-

---

[3] Liga da Paz e da Liberdade. (N. E. A.)

[4] Em Bakunin, "estamento". (N. E. A.)

> tas e o próprio Marx, concentravam nele, com toda força, uma inveja nada benfazeja. Sim, eles o odiavam tão profundamente quanto o odiava a burguesia; mas, enquanto ele viveu, não ousaram expressar seu ódio, pois Lassalle era, para eles, forte demais (p. 277-8).
> Já expusemos nossa profunda oposição à teoria de Lassalle e Marx, que recomenda aos trabalhadores, se não como ideal último, no mínimo como fim principal imediato, *a fundação de um Estado popular*, que, segundo suas palavras, não será mais do que "o proletariado ***organizado como classe dominante***". Pergunta-se: se o proletariado será a classe dominante, quem ele dominará? Isso significa (isso quer dizer) que restará ainda outro proletariado, que será súdito dessa nova dominação, desse novo Estado."

Isso quer dizer que, enquanto as outras classes, especialmente a capitalista, ainda existirem, enquanto o proletariado lutar contra elas (pois com seu poder de governo seus inimigos são dados, e a velha organização da sociedade ainda não desapareceu), ele tem de aplicar meios violentos, portanto, meios de governo; enquanto ele próprio ainda for classe e as condições econômicas sobre as quais repousa a luta de classes e a existência das classes ainda não tiverem desaparecido e tiverem de ser violentamente extirpadas do caminho ou transformadas, seu processo de transformação será acelerado por meios violentos.

> Por exemplo, o *krestyanskaya chern* (o povo camponês comum, o populacho do campo), "que **não desfruta** da benevolência dos marxistas e, encontrando-se no mais baixo estágio da civilização, será provavelmente dirigido pelo proletariado urbano e fabril.

Isto é, onde o camponês existe maciçamente como proprietário privado, onde ele forma uma maioria mais ou menos considerável, como em todos os Estados do continente europeu ocidental, onde ele não desapareceu e foi substituído pelo trabalhador agrícola diarista, como na Inglaterra, têm-se os seguintes casos: ou ele impede e faz fracassar qualquer revolução dos trabalhadores, como ocorreu até hoje na França, ou o proletariado (pois o camponês possuidor não pertence ao proletariado e, onde ele mesmo, por sua situação, pertence a essa classe, não acredita que faça parte dela) tem, como governo, de tomar medidas por meio das quais o camponês sinta que sua situação está claramente melhor, medidas que podem trazê-lo, portanto, para o lado da revolução, mas que, em essência, facilitam a transição da propriedade privada do solo para a propriedade coletiva, de modo que o camponês realize essa transição por si só pela via econômica; porém, não se pode golpear de uma vez o camponês, proclamando a abolição do direito de herança ou a abolição de sua propriedade; esta última só é possível onde o arrendatário capitalista oprime os camponeses e o verdadeiro cultivador da terra é tão proletário e assalariado quanto o trabalhador urbano e, portanto, tem os mesmos interesses que ele *imediatamente*, e não mediatamente; a propriedade de parcelas tampouco pode ser fortalecida aumentando-se as parcelas por meio da simples anexação das propriedades maiores às terras dos camponeses, como na jornada revolucionária bakuniniana.

> Ou, se considerarmos a questão do ponto de vista nacional, podemos supor, pelas mesmas razões, que, para os alemães, os eslavos acabarão, em relação ao vitorioso proletariado alemão, na mesma dependência escravizadora em que este se encontra em relação a sua burguesia (p. 278).

Asneira colegial! Uma revolução social radical está ligada a certas condições históricas do desenvolvimento econômico; estas são seu pressuposto. Portanto, ela só é possível onde, juntamente com a produção capitalista, o proletariado industrial assume no mínimo uma posição significativa na massa popular. E, para que tenha alguma chance de vitória, ela tem de ser, no mínimo, capaz de fazer diretamente pelos camponeses, *mutatis mutandis*, tanto quanto a burguesia francesa fez em sua revolução pelos camponeses franceses de então. É uma bela ideia supor que o domínio do trabalho inclui a opressão do trabalho camponês! Mas, aqui, revela-se o mais íntimo pensamento do sr. Bakunin. Ele não entende absolutamente nada de revolução social, salvo sua fraseologia política; para ele, suas precondições econômicas não existem. E como todas as formas econômicas existentes até hoje, desenvolvidas ou não desenvolvidas, implicam a servidão do trabalhador (seja na forma de trabalhador assalariado, camponês etc.), então ele acredita que, em todas essas formas, uma *revolução radical* é igualmente possível. E mais ainda! Ele quer que a revolução social europeia, fundada sobre as bases econômicas da produção capitalista, realize-se no mesmo nível dos povos agricultores e pastores russos ou eslavos e não ultrapasse esse nível, embora pondere que a *navegação marítima* constitua uma diferença entre os povos irmãos, mas mesmo assim só menciona a *navegação marítima* por ser uma diferença conhecida por todos os políticos! A *vontade*, e não as condições econômicas, é a base de sua revolução social.

> Onde há Estado, há inevitavelmente dominação e, por conseguinte, **escravidão**; é impensável dominação sem escravidão, oculta ou camuflada – por isso somos inimigos do **Estado** (p. 278).
> O que quer dizer o proletariado **organizado como classe dominante**?

Quer dizer que os proletários, em vez de combater individualmente as classes economicamente privilegiadas, adquiriram força e organização suficientes para empregar meios comuns de coerção contra elas; porém, eles só podem empregar meios econômicos que suprimam seu próprio caráter assalariado, portanto seu caráter de classe; com sua vitória total chega ao fim, por conseguinte, sua dominação, uma vez que seu caráter de classe [desapareceu].

> O proletariado ocupará porventura os postos mais altos do governo?

Num sindicato, por exemplo, o comitê executivo é formado pelo sindicato inteiro? Cessará toda a divisão de trabalho na fábrica e as diferentes funções que decorrem dela? E na formação social bakuniniana **de baixo para cima** estarão todos em **cima**? Então não haverá mais **baixo**. Todos os membros da comuna [*Gemeine*] serão simultaneamente encarregados da administração dos interesses comuns da **região** [*Gebiet*]? Então não haverá mais diferença entre comuna e região.

> Os alemães são aproximadamente 40 milhões de pessoas. Serão, por exemplo, todos os 40 milhões membros do governo?

*Certainly!** Pois a questão começa com o autogoverno da comuna.

> O povo inteiro governará e não haverá nenhum governante.

Quando um homem governa a si mesmo, segundo esse princípio ele não governa a si mesmo, pois ele é ele mesmo e não outro.

> Então não haverá governo, não haverá Estado, mas, se ele for Estado, então haverá também governantes e escravos (p. 279).

* "Certamente!" (N. T.)

Isto é, resumindo: "se a dominação de classe desaparecer e não houver Estado no sentido político atual".

> Esse dilema se resolve de modo muito simples na teoria dos marxistas. Por governo popular, eles entendem (isto é, Bak[unin]) o governo do povo por meio de um número escasso de líderes seletos (eleitos) pelo povo.

Asine!* Ladainha democrática, delírio político! A eleição é uma forma política que [existe] até na menor das comunas russas e no *artel***. O caráter da eleição não depende desse nome, mas das bases econômicas, dos contextos econômicos dos eleitores; e assim que as funções deixarem de ser políticas: 1) não haverá mais nenhuma função governamental; 2) a repartição das funções gerais se tornará uma questão técnico-administrativa [*Geschäftssache*]w, que não outorga nenhum domínio; 3) a eleição não terá nada do seu atual caráter político.

> Sufrágio universal estendido a todo o povo...

Falar de algo como todo o povo é, no sentido presente, uma quimera...

> ...de representantes do povo e **governantes do Estado** – essa é última palavra dos marxistas, como também da escola democrática – é uma mentira sob a qual se esconde o despotismo da *minoria governante*, tão mais perigosa na medida em que aparenta ser a expressão da chamada vontade popular.

Na propriedade coletiva, a chamada vontade popular desaparece e dá lugar à vontade efetiva da cooperativa.

> O resultado é o seguinte: condução da maioria da massa popular por uma minoria privilegiada. Mas essa minoria, dizem os marxistas...

Onde?

> ...consistirá em trabalhadores. Sim, se me permitem dizer, daqueles que eram trabalhadores, mas que, a partir do momento que se tornaram representantes ou governantes do povo, *deixaram de ser trabalhadores*...

Tanto quanto, hoje, um fabricante deixa de ser capitalista quando se torna conselheiro municipal.

---

* "Asno!" (N. T.)

** Nome comum a várias formas de associações cooperativas russas. (N. T.)

...e passarão a enxergar o mundo do trabalho do alto da **estatalidade** [*Staatlichkeit*]; não representarão mais o povo, mas a si mesmos e suas **ambições** ao governo popular. Se alguém duvida disso, é porque não está familiarizado com a natureza dos homens (p. 279).

Se o sr. Bakunin estivesse minimamente familiarizado com a posição de um gerente numa fábrica cooperativa de trabalhadores, todos seus sonhos de domínio iriam para o inferno. Ele deveria ter se perguntado: "Que forma podem assumir as funções administrativas sobre a base de um Estado operário?", se quiser chamá-lo assim.

(p. 279) Mas esses homens seletos serão ardentes prosélitos e, assim, doutos socialistas. Os termos "socialismo douto"...

Que nunca foi usado.

..."socialismo científico"...

Que só foi usado em oposição ao socialismo utópico, que pretende impor novas quimeras ao povo, em vez de limitar sua ciência ao conhecimento do movimento social realizado pelo próprio povo; ver meu escrito contra Proudhon.

...incessantemente empregados nas obras e nos discursos de lassallianos e marxistas, mostram por si mesmos que o chamado Estado popular será tão somente a condução despótica das massas populares por uma aristocracia muito pouco numerosa de supostos eruditos. O povo não é científico, o que significa que ele será plenamente libertado da proteção do governo e será plenamente trancafiado no curral dos governados. Bela libertação! (p. 279-80) Os marxistas sentem essa (!) contradição e, reconhecendo que o governo dos doutos (*quelle rêverie!*)* será o governo mais opressor, mais odiado, mais desprezível do mundo e, apesar de todas as suas formas democráticas, será na verdade uma ditadura, confortam-se com o pensamento de que essa ditadura será apenas transitória e breve.

*Non, mon cher!*** – Que a dominação de classe dos trabalhadores sobre as camadas sociais do velho mundo que lutam contra ele só pode existir enquanto não for eliminada a base econômica da existência das classes.

---

* "Que delírio!" (N. T.)

** "Não, meu caro!" (N. T.)

Sua única preocupação e meta, dizem eles, será *educar e esclarecer* o *povo* (político de taverna!), tanto econômica quanto politicamente, num nível tal que o velho governo logo se torne inútil e o estado perca todo caráter político, quer dizer, todo caráter dominador, transformando-se por si mesmo na livre organização dos interesses econômicos e das comunas. É uma contradição manifesta. Se o Estado deles acabará realmente por se tornar popular, por que então eliminá-lo? E se sua eliminação é necessária para a libertação efetiva do povo, como se atrevem a chamá-lo de popular? (p. 280)

Afora o insistente martelar no Estado popular de Liebknecht, que é uma bobagem que vai contra o *Manifesto Comunista* etc., a questão é a seguinte: como o proletariado, durante o período de luta para derrubar a antiga sociedade, ainda age com base na antiga sociedade e, por conseguinte, continua a se mover entre formas políticas que mais ou menos pertenciam àquela sociedade, ele ainda não encontra, durante esse período, sua constituição definitiva e emprega meios para sua libertação que, depois dessa libertação, deixam de existir; por isso, o sr. B[akunin] conclui que seria melhor o proletariado não fazer nada (...) e esperar pelo *dia de sua eliminação geral* – o dia do juízo final.

Por nossa polêmica (que, é claro, surgiu antes do meu texto contra Proudhon e do *Manifesto Com[unista]*, e também antes de Saint-Simon) contra eles (belo *ὕστερον πρότερον**), nós os *levamos* ao *reconhecimento* de que liberdade e anarquia (o sr. Bak[unin] apenas traduziu a anarquia proudhoniana e stirneriana em tosca língua tártara), isto é, a livre organização das massas trabalhadoras de baixo para cima (asneira!), é o objetivo final do desenvolvimento social e todo **Estado**, sem exclusão do Estado popular, é um jugo que produz, de um lado, despotismo e, de outro lado, escravidão (p. 280).
Esse jugo dominador, a ditadura, é, dizem eles, o meio de transição necessário para a consecução da mais completa libertação do povo: anarquia ou liberdade é o fim, a dominação ou a ditadura é o meio. Assim, para a libertação das massas populares, é necessário primeiro escravizá-las. Sobre essa contradição repousa nossa polêmica. Eles asseguram que apenas a ditadura, que, afinal, é a sua própria, pode fundar a liberdade do povo; nós retrucamos: nenhuma ditadura pode ter outra finalidade senão **perpetuar-se**, e ela **só pode servir para gerar e procriar a escravidão entre o povo que a suporta**; **a liberdade só pode ser criada mediante a liberdade** (do eterno *citoyen*** B[akunin]), isto é, mediante **a sublevação de todo o povo** e a livre organização das massas de baixo para cima (p. 281).

---

* *Hysteron proteron*: inversão de antecedente e consequente. (N. T.)

** "Cidadão". (N. T.)

Enquanto a teoria político-social dos socialistas anti-Estado ou anarquistas conduz de modo **intransigente** e direto à mais plena ruptura com todos os governos, com todas as formas da política burguesa, não deixando nenhuma outra saída a não ser a revolução social...

Não deixando nada da revolução social, a não ser a *fraseologia*.

... a teoria contraposta, a teoria dos comunistas estatistas e adeptos da autoridade científica, atrai e enreda de modo igualmente **intransigente** seus seguidores, a pretexto de tática política, na ininterrupta **barganha** com os governos e os múltiplos partidos políticos burgueses, isto é, empurra-os diretamente para a reação (p. 281).
A melhor prova disso é *Lassalle*. Quem não sabe de sua ligação e seus conchavos com Bismarck? Os liberais e os democratas usaram isso para culpar seu caráter compradiço. A mesma coisa, embora não tão abertamente, era **sussurrada** entre os diversos[5] sequazes do sr. Marx na Alemanha (p. 282).
Lassalle relacionava-se com a massa comum dos trabalhadores mais como um médico com seus pacientes do que de irmão para irmão (...). Por nada no mundo ele teria traído o povo (loc. cit.). Lassalle estava em guerra aberta contra os liberais, os democratas, odiando-os, desprezando-os. Bismarck adotava a mesma posição em relação a eles. Esse era o primeiro ponto de aproximação entre os dois: "a base principal desta (aproximação) estava incluída no programa político-social de Lassalle, na teoria comunista fundada pelo Sr. Marx" (p. 283).
O ponto principal desse programa é: a **suposta** libertação do proletariado ocorrerá apenas mediante **um Estado** (...). Dois meios (...) o proletariado tem de fazer a revolução para se submeter ao Estado – meio heroico – (...) segundo a teoria do sr. Marx (...) o povo tem de entregar todo poder nas suas mãos e nas mãos de seus amigos (...) eles fundam um único banco estatal, concentrando em suas mãos toda a produção comercial, industrial, agrícola e até mesmo científica, e dividem a massa do povo em dois exércitos, industrial e agrícola, sob o comando imediato de engenheiros do Estado, que formam um novo estamento privilegiado, científico-político (p. 283-4).
Mas, fazer uma revolução, os próprios alemães não acreditam nisso. – É necessário que outro povo a comece ou outra **força** externa a provoque ou **impulsione**. Em seguida, outro meio é necessário: apossar-se do Estado. É necessário angariar a simpatia das pessoas que ocupam ou possam ocupar o topo do Estado. No tempo de Lassalle, como ainda agora, Bismarck ocupava o topo do Estado (...) Lassalle era dotado principalmente de instinto e **intelecto** práticos, de que não dispunham o sr. Marx e seus seguidores. Como todos os teóricos, o sr. Marx é, no que concerne à prática, um inalterável e **incorrigível** sonhador. Ele deu mostras disso em sua malfadada campanha na Associação Internacional, cujo objetivo era instaurar sua ditadura sobre a Internacional e, por meio desta, sobre todo o movimento revolucionário do proletariado da Europa e da América. É preciso ser ou um louco ou um erudito totalmente

---

5 Em Bakunin, "pessoais". (N. E. A.)

abstrato para se pôr à procura de tal fim. O sr. Marx sofreu, neste ano, a mais completa e merecida derrota, porém muito dificilmente ela o libertará de seu arraigado devaneio (p. 284-5). Graças a essa qualidade de sonhador, assim como ao desejo de angariar admiradores e sequazes entre a burguesia, o sr. Marx impeliu e continua a impelir o proletariado a realizar acordos com os radicais burgueses. Gambetta e Castelar, estes são seus **verdadeiros** ideais (p. 284-5). Esses esforços por negociatas com a burguesia radical, que se mostraram com mais força em Marx nos últimos anos, baseiam-se num duplo sonho: o primeiro, de que quando a burguesia radical chegar ao poder, eles poderão **querer** empregá-la em proveito do proletariado; e o segundo, de que assim eles estarão em condições de se manter contra a reação, cujas raízes se acham no seio daquela mesma burguesia (p. 285).

Lassalle, como homem prático, compreendeu isso (que a burguesia radical nem quer libertar o povo nem pode fazer isso, mas quer apenas explorá-lo); além disso, odiava a burguesia alemã; Lassalle também conhecia suficientemente seus compatriotas para esperar deles iniciativas revolucionárias. Restou-lhe apenas Bismarck. O ponto da unificação lhe foi dado pela própria teoria de Marx: Estado unitário e fortemente centralizado. Lassalle queria isso, e Bismarck o fez. Como eles não se uniriam? O inimigo (!) de Bismarck era o burguês. Sua eficácia atual mostra que ele não é um fanático nem um escravo do partido da nobreza feudal (...). Sua obra principal, como também a de Lassalle e Marx, é o Estado. E, por isso, Lassalle mostrou-se desproporcionalmente mais lógico e prático do que Marx, que reconheceu Bismarck como revolucionário – embora, **é claro, a seu modo** – e sonha com sua queda, provavelmente porque ele ocupa a primeira posição no Estado, a qual, na opinião do sr. Marx, tem de pertencer a ele mesmo. Lassalle, não tendo grande amor-próprio, não teve problemas para fazer uma aliança com Bismarck. Em plena consonância com o programa político discutido por Marx e Engels no *Manifesto Comunista*, Lassalle exigiu de Bismarck apenas uma coisa: abertura de crédito governamental para sociedades produtivas de trabalhadores. E, ao mesmo tempo, em consonância com o programa, deu início, entre os trabalhadores, à agitação pacífica e legal em favor da introdução do sufrágio (p. 288-9).

Depois da morte de Lassalle, formou-se, ao lado das Associações para a Formação dos Trabalhadores e da lass[alliana] Associação Geral dos Trabalhadores Alemães, sob direta influência dos amigos e seguidores do sr. Marx, um terceiro partido: o Partido Social-Democrata dos Trabalhadores Alemães. No topo, Bebel (meio trabalhador) e Liebknecht, inteiramente erudito[6] e agente do sr. Marx (p. 289).

Já falamos da atuação de Liebknecht em Viena, em 1868. O resultado disso foi o Congresso de Nuremberg (agosto de 1868), em que o Partido Social-Democrata foi finalmente organizado. Por decisão (intenção) de seus fundadores, *agindo sob orientação direta de Marx*, ele devia ser a seção pangerma-

[6] Em Bakunin, "discípulo direto". (N. E. A.)

nista da Associação Internacional dos Trabalhadores. Mas as leis alemãs e, em especial as prussianas, vedavam essa unificação. Por isso, mencionou-se essa relação apenas de passagem: "O Partido Social-Democrata dos Trabalhadores Alemães encontra-se em união com a Associação Internacional dos Trabalhadores, na medida em que as leis alemãs o permitem". *É indubitável que esse novo partido foi fundado na Alemanha com a secreta esperança e a ideia básica* de, intrometendo-se na Internacional, impor a ela todo o programa de Marx, um programa que fora extirpado no primeiro Congresso de Genebra (1866). O programa de Marx foi adotado como programa do Partido Social--Democrata: a **conquista** do "poder político" como "fim primeiro e imediato", com acréscimo da seguinte sentença notável: "A conquista dos direitos políticos (sufrágio universal, liberdade de imprensa, liberdade de associação e de reunião etc.) é condição prévia, irrenunciável, da libertação econômica dos trabalhadores". Essa sentença tem o seguinte significado: antes de marchar rumo à revolução, os trabalhadores têm de completar a revolução política ou, o que corresponde melhor à natureza dos alemães, têm de conquistar ou, melhor ainda, têm de adquirir o direito político mediante a agitação pacífica. Mas como *todo* movimento político que se dá *antes* ou, o que é a *mesmíssima* coisa, *fora do movimento social* só pode ser um movimento burguês, segue-se também que esse programa recomenda aos trabalhadores alemães *que se apropriem de todos os interesses e fins burgueses* e *completem o movimento político em proveito da burguesia radical*, a qual, em agradecimento, não libertará o povo, mas o submeterá a renovada violência, a renovada exploração (p. 289-91).

PERIÓDICOS CITADOS

Demokratisches Wochenblatt – publicado em Leipzig de janeiro de 1868 a 29 de setembro de 1869; órgão dos eisenachianos; seu redator era Wilhelm Liebknecht.

Der Volksstaat – publicado em Leipzig de 1869 a 1876; órgão central do Partido Operário Social-Democrata da Alemanha; seu redator era Liebknecht.

Der Vorbote – publicado em Chicago a partir de 1881; jornal anarquista, escrito em alemão.

Die Neue Zeit – publicado em Stuttgart de 1883 a 1923; revista teórica da social-democracia alemã; Kautsky foi seu redator até 1917. De 1885 a 1895, nele foram publicados vários artigos de Engels, que também costumava orientar sua redação e criticar veementemente seus desvios em relação às posições marxistas.

Frankfurter Zeitung – publicado de 1856 a 1943 em Frankfurt; durante muitos anos, foi o mais influente diário democrata. Em 1875, foi o órgão de oposição da pequena burguesia democrata do sul da Alemanha; na "questão operária", assumiu uma postura reformista.

La Réforme – jornal fundado por Alexandre Ledru-Rollin em 1843. Nele colaboraram, entre outros, Louis Blanc, Proudhon, Marx e Bakunin. Seu diretor era Ferdinand Flocon.

L'Atelier – semanário operário, publicado em Paris de 1840 a 1850, fortemente influenciado pelo socialismo católico de Philippe Buchez.

Norddeutsche Allgemeine Zeitung – jornal diário, publicado em Berlim de 1861 a 1945. Embora Liebknecht participasse do grupo original de redatores do jornal, este assumiu rapidamente um perfil nacionalista-liberal e conservador; a partir de 1918, passou a se chamar *Deutsche Allgemeine Zeitung*.

Social-Demokrat – editado em Berlim de 1865 a 1871; órgão da lassaliana Associação Geral dos Trabalhadores Alemães; seu editor era Johann Baptist von Schweitzer.

The Bee-Hive Newspaper – jornal semanal dos sindicatos, publicado em Londres de 1861 a 1876, com os nomes *The Bee-Hive, The Bee-Hive Newspaper* e *The Penny Bee-Hive*.

Vorwärts – publicado em Leipzig de 1876 a 1878 e em Berlim de 1891 a 1933; órgão central da social-democracia alemã; de 1876 a 1878, foi dirigido por Liebknecht e Hasenclever e, de 1891 a 1900, apenas por Liebknecht; atualmente, é a revista oficial do Partido Social-Democrata Alemão (em alemão, SPD).

Züricher Post – publicado de dezembro de 1890 a abril de 1891 em Zurique; jornal social-democrata.

ÍNDICE ONOMÁSTICO

Audorf, Jakob (1835-1898) – social-democrata lassalliano, compositor.

Auer, Ignaz (1846-1907) – social-democrata, membro da direção do partido a partir de 1890.

Bauer, Bruno (1809-1882) – filósofo, jovem hegeliano, historiador da religião e jornalista.

Bauer, Edgar (1820-1886) – irmão de Bruno Bauer; jornalista e jovem hegeliano.

Bakunin, Mikhail Aleksandrovitch (1814-1876) – revolucionário russo; hegeliano de esquerda, tornou-se depois anarquista e adversário do marxismo; entrou para a Internacional em 1869 e foi expulso em 1872, no congresso de Haia.

Bebel, August (1840-1913) – um dos fundadores e líderes da social-democracia alemã e da Segunda Internacional.

Becker, Bernhard (1826-1882) – um dos fundadores da Associação Internacional dos Trabalhadores Alemães; após a morte de Lassalle, assumiu sua liderança (1864-1865); mais tarde, juntou-se aos eisenachianos.

Bismarck, Otto Edward von, príncipe (1815-1898) – estadista e diplomata; chefe de gabinete de 1862 a 1872 e de 1873 a 1890; entre 1871 e 1890, foi primeiro-ministro do Império (*Reichskanzler*); em 1870, pôs fim à guerra com a França e, em 1871, apoiou a repressão à Comuna de Paris; promoveu a unidade do Império com uma "revolução a partir de cima"; em 1878, decretou a lei de exceção contra a social-democracia (conhecida como "lei contra os socialistas").

Blanc, Jean Joseph Charles Louis (1811-1882) – jornalista e historiador; em 1848, foi membro do governo provisório e presidente da Comissão do Luxemburgo; defendeu uma política de conciliação entre as classes e de aliança com a burguesia; emigrou para a Inglaterra em agosto de 1848; foi contra a Comuna de Paris quando deputado da Assembleia Nacional de 1871.

Blanqui, Louis-Auguste (1805-1881) – comunista francês, defendia a tomada violenta do poder por uma organização conspiratória e o estabelecimento de uma ditadura revolucionária; organizou várias sociedades secretas e conspirações; participou ativamente da Revolução de 1830; foi condenado à morte em 1839 e depois à prisão perpétua; na Revolução de 1848, foi uma importante liderança do movimento operário francês e membro da Comuna de Paris; foi condenado em março de 1871 por sua participação na ocupação da prefeitura de Paris, em 31 de outubro de 1870; passou ao todo 36 anos na prisão.

Bracke, Wilhelm (1842-1880) – editor e livreiro em Braunschweig; social-democrata e membro da seção de Braunschweig do Partido Operário Social-Democrata.

Buchez, Philippe (1796-1865) – político e historiador francês, republicano; foi um dos ideólogos do socialismo católico e discípulo de Saint-Simon; em 1848, foi presidente do governo provisório da França.

Büchner, Ludwig (1824-1899) – médico, cientista da natureza e filósofo; foi o principal representante do materialismo naturalista e divulgador da obra de Charles Darwin na Alemanha; era irmão do escritor Georg Büchner.

Castelar y Ripoll, Emilio (1832-1899) – político e escritor espanhol, foi presidente do Poder Executivo da Primeira República Espanhola entre 7 de setembro de 1873 e 3 de janeiro de 1874.

Churchill, Randolph (1849-1895) – político conservador inglês. Pai de Winston Churchill, que foi primeiro-ministro inglês de 1940 a 1945 e de 1951 a 1955.

Derossi, Carl (1844-1910) – lassalliano; em 1871, foi eleito secretário da Associação Internacional dos Trabalhadores Alemães e, em 1875, secretário do partido no congresso de unificação de Gotha.

Dietz, Johann Heinrich Leopold (1845-1922) – deputado social-democrata no Reichstag, fundador da editora Dietz e, mais tarde, da editora do Partido Social-Democrata em Stuttgart.

Dühring, Karl Eugen (1833-1921) – filósofo e economista, professor da Universidade de Berlim; em 1877, foi demitido em consequência de um conflito com os funcionários da universidade; defendia um materialismo com fortes traços idealistas e era adversário do marxismo; sua teoria encontrou um bom número de adeptos na social-democracia alemã, o que levou Engels a escrever seu "Anti-Dühring".

Dulk, Albert (1819-1884) – dramaturgo, revolucionário e escritor alemão.

Fischer, Richard (1855-1926) – social-democrata, um dos redatores do *Vorwärts*.

Flocon, Ferdinand (1800-1866) – jornalista e político francês.

Frederico Guilherme IV (1795-1861) – rei da Prússia de 1840 até sua morte.

Fritzsche, Friedrich Wilhelm (1825-1905) – político e sindicalista alemão, teve papel fundamental na criação da Associação Geral dos Trabalhadores Alemães e, mais tarde, do Partido Social-Democrata da Alemanha.

Gambetta, Léon (1838-1882) – político francês, republicano; entre 1870 e 1871, foi membro do governo de Defesa Nacional da França e, de 1881 a 1882, primeiro-ministro e ministro do Exterior.

Garibaldi, Giuseppe (1807-1882) – revolucionário, herói da unificação italiana.

Geib, August (1842-1879) – social-democrata, lassalliano e, mais tarde, eisenachiano; foi deputado do Reichstag a partir de 1874.

Gladstone, Robertson (1805-1875) – comerciante e político, era irmão de William Ewart Gladstone, que foi quatro vezes primeiro-ministro da Grã-Bretanha (de 1868 a 1874, de 1880 a 1885, em 1886 e, por fim, de 1892 a 1894).

Goegg, Amand (1820-1897) – democrata, membro do governo revolucionário de Baden em 1849; foi um dos líderes da Liga Internacional da Paz e da Liberdade.

Goethe, Johann Wolfgang von (1749-1832) – escritor e pensador; foi um dos precursores do movimento romântico literário Sturm und Drang; em 1775, aceitou o convite do duque de Weimar e tornou-se seu conselheiro político e econômico.

Hall, Charles (1745-1825) – autor de *The effects of civilization* [Os efeitos da civilização]; foi um dos primeiros autores a levar a teoria ricardiana a seu extremo lógico, isto é, ao conceito da exploração do trabalho.

Hasenclever, Wilhelm (1837-1889) – lassalliano, presidente da Associação Geral dos Trabalhadores Alemães em 1871.

Hasselmann, Wilhelm (1844-1916) – um dos líderes da Associação Geral dos Trabalhadores Alemães; mais tarde, tornou-se anarquista e, em 1880, foi excluído da social-democracia.

Hatzfeldt, Sophie, condessa de (1805-1881) – amiga e apoiadora de Lassalle.

Hegel, Georg Wilhelm Friedrich (1770-1831) – filósofo idealista alemão; elaborou, com base na dialética, um sistema filosófico de análise da realidade.

Hess, Moses (1812-1875) – jornalista, cofundador e colaborador do *Rheinische Zeitung*; foi um dos principais representantes do socialismo "verdadeiro" em meados da década de 1840; posteriormente, tornou-se lassalliano.

Hirsch, Karl (1841-1900) – social-democrata até 1871; foi redator e correspondente em Paris de diferentes jornais social-democratas alemães.

Kautsky, Karl (1854-1938) – social-democrata, um dos líderes e ideólogos da Segunda Internacional; foi fundador e redator por muitas décadas da revista *Die Neue Zeit*, órgão teórico da social-democracia; foi o principal representante da corrente centris-

Nicolau I (1796-1855) – czar da Rússia de 1825 até sua morte.

Pi y Margall, Francisco (1824-1901) – político, filósofo, jurista e escritor espanhol; assumiu o Poder Executivo da Primeira República espanhola entre 11 de junho e 18 de julho de 1873.

Proudhon, Pierre-Joseph (1809-1865) – teórico e jornalista francês, foi um dos teóricos do anarquismo.

Puttkamer, Robert von (1828-1900) – ministro do Interior prussiano de 1879 a 1888; sob as "leis contra os socialistas", foi um dos principais organizadores da perseguição aos sociais-democratas.

Ramm, Hermann – social-democrata de Leipzig, um dos redatores do *Volksstaat*.

Ricardo, David (1778-1823) – economista inglês, um dos expoentes da economia política clássica.

Robespierre, Maximilien François Marie Isidore de (1758-1794) – revolucionário francês, líder dos jacobinos durante a Revolução Francesa.

Rodbertus, Johann Karl (1805-1875) – economista alemão, considerado um dos fundadores do socialismo de Estado.

Rousseau, Jean-Jacques (1712-1778) – iluminista francês, teórico do contratualismo democrático.

Saint-Simon, conde de; nascido **Claude-Henri de Rouvroy** (1760-1825) – socialista utópico francês.

Schulze-Delitzsch, Franz Hermann (1808-1883) – economista; nos anos 1860, foi um dos líderes do Partido Progressista; propagou as cooperativas de produção na Alemanha.

Schweitzer, Johann Baptist von (1833-1875) – advogado, jornalista e redator do jornal lassalliano *Social-Demokrat*; foi presidente da Associação Geral dos Trabalhadores Alemães de 1867 a 1871, quando abandonou a política; apoiou a política de Bismarck.

Shylock – personagem do drama *O mercador de Veneza*, de Shakespeare.

Sonnemann, Leopold (1831-1909) – democrata, fundador e redator do *Frankfurter Zeitung*; foi deputado do Reichstag de 1871 a 1876 e de 1878 a 1884.

Stein, Lorenz von (1815-1890) – hegeliano, professor de filosofia e direito público na Universidade de Kiel; agente secreto do governo prussiano.

Stieber, Wilhelm (1818-1882) – chefe da polícia política prussiana; em 1852, obteve informações fundamentais para o processo dos comunistas de Colônia; nas guerras de 1866 e 1870-1871, foi chefe do serviço de espionagem prussiano.

CRONOLOGIA RESUMIDA

	Karl Marx	**Friedrich Engels**
1818	Em Trier (capital da província alemã do Reno), nasce Karl Marx (5 de maio), o segundo de oito filhos de Heinrich Marx e de Enriqueta Pressburg. Trier na época era influenciada pelo liberalismo revolucionário francês e pela reação ao Antigo Regime, vinda da Prússia.	
1820		Nasce Friedrich Engels (28 de novembro), primeiro dos oito filhos de Friedrich Engels e Elizabeth Franziska Mauritia van Haar, em Barmen, Alemanha. Cresce no seio de uma família de industriais religiosa e conservadora.
1824	O pai de Marx, nascido Hirschel, advogado e conselheiro de Justiça, é obrigado a abandonar o judaísmo por motivos profissionais e políticos (os judeus estavam proibidos de ocupar cargos públicos na Renânia). Marx entra para o Ginásio de Trier (outubro).	
1830	Inicia seus estudos no Liceu Friedrich Wilhelm, em Trier.	
1834		Engels ingressa, em outubro, no Ginásio de Elberfeld.
1835	Escreve *Reflexões de um jovem perante a escolha de sua profissão*. Presta exame final de bacharelado em Trier (24 de setembro). Inscreve-se na Universidade de Bonn.	
1836	Estuda Direito na Universidade de Bonn. Participa do Clube de Poetas e de associações de estudantes. No verão, fica noivo em segredo de Jenny von Westphalen, sua vizinha em Trier. Em razão da oposição entre as famílias, casar-se-iam apenas sete anos depois. Matricula-se na Universidade de Berlim.	Na juventude, fica impressionado com a miséria em que vivem os trabalhadores das fábricas de sua família. Escreve *Poema*.

	Karl Marx	**Friedrich Engels**
1837	Transfere-se para a Universidade de Berlim e estuda com mestres como Gans e Savigny. Escreve *Canções selvagens* e *Transformações*. Em carta ao pai, descreve sua relação contraditória com o hegelianismo, doutrina predominante na época.	Por insistência do pai, Engels deixa o ginásio e começa a trabalhar nos negócios da família. Escreve *História de um pirata*.
1838	Entra para o Clube dos Doutores, encabeçado por Bruno Bauer. Perde o interesse pelo Direito e entrega-se com paixão ao estudo da Filosofia, o que lhe compromete a saúde. Morre seu pai.	Estuda comércio em Bremen. Começa a escrever ensaios literários e sociopolíticos, poemas e panfletos filosóficos em periódicos como o *Hamburg Journal* e o *Telegraph für Deutschland*, entre eles o poema "O beduíno" (setembro), sobre o espírito da liberdade.
1839		Escreve o primeiro trabalho de envergadura, *Briefe aus dem Wupperthal* [Cartas de Wupperthal], sobre a vida operária em Barmen e na vizinha Elberfeld (*Telegraph für Deutschland*, primavera). Outros viriam, como *Literatura popular alemã*, *Karl Beck* e *Memorabilia de Immermann*. Estuda a filosofia de Hegel.
1840	K. F. Koeppen dedica a Marx o seu estudo *Friedrich der Grosse und seine Widersacher* [Frederico, o Grande, e seus adversários].	Engels publica *Réquiem para o Aldeszeitung alemão* (abril), *Vida literária moderna*, no *Mitternachtzeitung* (março-maio) e *Cidade natal de Siegfried* (dezembro).
1841	Com uma tese sobre as diferenças entre as filosofias de Demócrito e Epicuro, Marx recebe em Iena o título de doutor em Filosofia (15 de abril). Volta a Trier. Bruno Bauer, acusado de ateísmo, é expulso da cátedra de Teologia da Universidade de Bonn, com isso Marx perde a oportunidade de atuar como docente nessa universidade.	Publica *Ernst Moritz Arndt*. Seu pai o obriga a deixar a escola de comércio para dirigir os negócios da família. Engels prosseguiria sozinho seus estudos de filosofia, religião, literatura e política. Presta o serviço militar em Berlim por um ano. Frequenta a Universidade de Berlim como ouvinte e conhece os jovens hegelianos. Critica intensamente o conservadorismo na figura de Schelling, com os escritos *Schelling em Hegel*, *Schelling e a revelação* e *Schelling, filósofo em Cristo*.
1842	Elabora seus primeiros trabalhos como publicista. Começa a colaborar com o jornal *Rheinische Zeitung* [Gazeta Renana], publicação da burguesia em Colônia, do qual mais tarde seria redator. Conhece Engels, que na ocasião visitava o jornal.	Em Manchester assume a fiação do pai, a Ermen & Engels. Conhece Mary Burns, jovem trabalhadora irlandesa, que viveria com ele até a morte. Mary e a irmã Lizzie mostram a Engels as dificuldades da vida operária, e ele inicia estudos sobre os efeitos do capitalismo no operariado inglês. Publica artigos no *Rheinische Zeitung*, entre eles "Crítica às leis de imprensa prussianas" e "Centralização e liberdade".

	Karl Marx	**Friedrich Engels**
1843	Sob o regime prussiano, é fechado o *Rheinische Zeitung*. Marx casa-se com Jenny von Westphalen. Recusa convite do governo prussiano para ser redator no diário oficial. Passa a lua de mel em Kreuznach, onde se dedica ao estudo de diversos autores, com destaque para Hegel. Redige os manuscritos que viriam a ser conhecidos como *Crítica da filosofia do direito de Hegel* [*Zur Kritik der Hegelschen Rechtsphilosophie*]. Em outubro vai a Paris, onde Moses Hess e George Herwegh o apresentam às sociedades secretas socialistas e comunistas e às associações operárias alemãs. Conclui *Sobre a questão judaica* [*Zur Judenfrage*]. Substitui Arnold Ruge na direção dos *Deutsch-Französische Jahrbücher* [Anais Franco-Alemães]. Em dezembro inicia grande amizade com Heinrich Heine e conclui sua "Crítica da filosofia do direito de Hegel – Introdução" [*Zur Kritik der Hegelschen Rechtsphilosophie – Einleitung*]	Engels escreve, com Edgar Bauer, o poema satírico "Como a Bíblia escapa milagrosamente a um atentado impudente ou O triunfo da fé", contra o obscurantismo religioso. O jornal *Schweuzerisher Republicaner* publica suas "Cartas de Londres". Em Bradford, conhece o poeta G. Weerth. Começa a escrever para a imprensa cartista. Mantém contato com a Liga dos Justos. Ao longo desse período, suas cartas à irmã favorita, Marie, revelam seu amor pela natureza e por música, livros, pintura, viagens, esporte, vinho, cerveja e tabaco.
1844	Em colaboração com Arnold Ruge, elabora e publica o primeiro e único volume dos *Deutsch-Französische Jahrbücher*, no qual participa com dois artigos: "A questão judaica" e "Introdução a uma crítica da filosofia do direito de Hegel". Escreve os *Manuscritos econômico-filosóficos* [*Ökonomisch-philosophische Manuskripte*]. Colabora com o *Vorwärts!* [Avante!], órgão de imprensa dos operários alemães na emigração. Conhece a Liga dos Justos, fundada por Weitling. Amigo de Heine, Leroux, Blanc, Proudhon e Bakunin, inicia em Paris estreita amizade com Engels. Nasce Jenny, primeira filha de Marx. Rompe com Ruge e desliga-se dos *Deutsch-Französische Jahrbücher*. O governo decreta a prisão de Marx, Ruge, Heine e Bernays pela colaboração nos *Deutsch-Französische Jahrbücher*. Encontra Engels em Paris e em dez dias planejam seu primeiro trabalho juntos, *A sagrada família* [*Die heilige Familie*]. Marx publica no *Vorwärts!* artigo sobre a greve na Silésia.	Em fevereiro, Engels publica *Esboço para uma crítica da economia política* [*Umrisse zu einer Kritik der Nationalökonomie*], texto que influenciou profundamente Marx. Segue à frente dos negócios do pai, escreve para os *Deutsch-Französische Jahrbücher* e colabora com o jornal *Vorwärts!*. Deixa Manchester. Em Paris torna-se amigo de Marx, com quem desenvolve atividades militantes, o que os leva a criar laços cada vez mais profundos com as organizações de trabalhadores de Paris e Bruxelas. Vai para Barmen.
1845	Por causa do artigo sobre a greve na Silésia, a pedido do governo prussiano Marx é expulso da França, juntamente com Bakunin, Bürgers e Bornstedt. Muda-se para Bruxelas e, em colaboração com Engels, escreve e publica em Frankfurt *A sagrada família*. Ambos começam a	As observações de Engels sobre a classe trabalhadora de Manchester, feitas anos antes, formam a base de uma de suas obras principais, *A situação da classe trabalhadora na Inglaterra* [*Die Lage der arbeitenden Klasse in England*] (publicada primeiramente em

	Karl Marx	**Friedrich Engels**
	escrever *A ideologia alemã* [*Die deutsche Ideologie*] e Marx elabora "As teses sobre Feuerbach" [*Thesen über Feuerbach*]. Em setembro nasce Laura, segunda filha de Marx e Jenny. Em dezembro, ele renuncia à nacionalidade prussiana.	alemão; a edição seria traduzida para o inglês 40 anos mais tarde). Em Barmen organiza debates sobre as ideias comunistas junto com Hess e profere os *Discursos de Elberfeld*. Em abril sai de Barmen e encontra Marx em Bruxelas. Juntos, estudam economia e fazem uma breve visita a Manchester (julho e agosto), onde percorrem alguns jornais locais, como o *Manchester Guardian* e o *Volunteer Journal for Lancashire and Cheshire*. Lançada *A situação da classe trabalhadora na Inglaterra*, em Leipzig. Começa sua vida em comum com Mary Burns.
1846	Marx e Engels organizam em Bruxelas o primeiro Comitê de Correspondência da Liga dos Justos, uma rede de correspondentes comunistas em diversos países, a qual Proudhon se nega a integrar. Em carta a Annenkov, Marx critica o recém-publicado *Sistema das contradições econômicas ou Filosofia da miséria* [*Système des contradictions économiques ou Philosophie de la misère*], de Proudhon. Redige com Engels a *Zirkular gegen Kriege* [Circular contra Kriege], crítica a um alemão emigrado dono de um periódico socialista em Nova York. Por falta de editor, Marx e Engels desistem de publicar *A ideologia alemã* (a obra só seria publicada em 1932, na União Soviética). Em dezembro nasce Edgar, o terceiro filho de Marx.	Seguindo instruções do Comitê de Bruxelas, Engels estabelece estreitos contatos com socialistas e comunistas franceses. No outono, ele se desloca para Paris com a incumbência de estabelecer novos comitês de correspondência. Participa de um encontro de trabalhadores alemães em Paris, propagando ideias comunistas e discorrendo sobre a utopia de Proudhon e o socialismo real de Karl Grün.
1847	Filia-se à Liga dos Justos, em seguida nomeada Liga dos Comunistas. Realiza-se o primeiro congresso da associação em Londres (junho), ocasião em que se encomenda a Marx e Engels um manifesto dos comunistas. Eles participam do congresso de trabalhadores alemães em Bruxelas e, juntos, fundam a Associação Operária Alemã de Bruxelas. Marx é eleito vice-presidente da Associação Democrática. Conclui e publica a edição francesa de *Miséria da filosofia* [*Misère de la philosophie*] (Bruxelas, julho).	Engels viaja a Londres e participa com Marx do I Congresso da Liga dos Justos. Publica *Princípios do comunismo* [*Grundsätze des Kommunismus*], uma "versão preliminar" do *Manifesto Comunista* [*Manifest der Kommunistischen Partei*]. Em Bruxelas, junto com Marx, participa da reunião da Associação Democrática, voltando em seguida a Paris para mais uma série de encontros. Depois de atividades em Londres, volta a Bruxelas e escreve, com Marx, o *Manifesto Comunista*.
1848	Marx discursa sobre o livre-cambismo numa das reuniões da Associação Democrática. Com Engels publica, em Londres (fevereiro), o *Manifesto Comunista*. O governo revolucionário francês, por meio de Ferdinand Flocon, convida Marx a morar em Paris depois que o governo belga o expulsa de Bruxelas.	Expulso da França por suas atividades políticas, chega a Bruxelas no fim de janeiro. Juntamente com Marx, toma parte na insurreição alemã, de cuja derrota falaria quatro anos depois em *Revolução e contrarrevolução na Alemanha* [*Revolution und Konterevolution in Deutschland*]. Engels

	Karl Marx	**Friedrich Engels**
	Redige com Engels "Reivindicações do Partido Comunista da Alemanha" [*Forderungen der Kommunistischen Partei in Deutschland*] e organiza o regresso dos membros alemães da Liga dos Comunistas à pátria. Com sua família e com Engels, muda-se em fins de maio para Colônia, onde ambos fundam o jornal *Neue Rheinische Zeitung* [Nova Gazeta Renana], cuja primeira edição é publicada em 1º de junho com o subtítulo *Organ der Demokratie*. Marx começa a dirigir a Associação Operária de Colônia e acusa a burguesia alemã de traição. Proclama o terrorismo revolucionário como único meio de amenizar "as dores de parto" da nova sociedade. Conclama ao boicote fiscal e à resistência armada.	exerce o cargo de editor do *Neue Rheinische Zeitung*, recém-criado por ele e Marx. Participa, em setembro, do Comitê de Segurança Pública criado para rechaçar a contrarrevolução, durante grande ato popular promovido pelo *Neue Rheinische Zeitung*. O periódico sofre suspensões, mas prossegue ativo. Procurado pela polícia, tenta se exilar na Bélgica, onde é preso e depois expulso. Muda-se para a Suíça.
1849	Marx e Engels são absolvidos em processo por participação nos distúrbios de Colônia (ataques a autoridades publicados no *Neue Rheinische Zeitung*). Ambos defendem a liberdade de imprensa na Alemanha. Marx é convidado a deixar o país, mas ainda publicaria *Trabalho assalariado e capital* [*Lohnarbeit und Kapital*]. O periódico, em difícil situação, é extinto (maio). Marx, em condição financeira precária (vende os próprios móveis para pagar as dívidas), tenta voltar a Paris, mas, impedido de ficar, é obrigado a deixar a cidade em 24 horas. Graças a uma campanha de arrecadação de fundos promovida por Ferdinand Lassalle na Alemanha, Marx se estabelece com a família em Londres, onde nasce Guido, seu quarto filho (novembro).	Em janeiro, Engels retorna a Colônia. Em maio, toma parte militarmente na resistência à reação. À frente de um batalhão de operários, entra em Elberfeld, motivo pelo qual sofre sanções legais por parte das autoridades prussianas, enquanto Marx é convidado a deixar o país. Publicado o último número do *Neue Rheinische Zeitung*. Marx e Engels vão para o sudoeste da Alemanha, onde Engels envolve-se no levante de Baden-Palatinado, antes de seguir para Londres.
1850	Ainda em dificuldades financeiras, organiza a ajuda aos emigrados alemães. A Liga dos Comunistas reorganiza as sessões locais e é fundada a Sociedade Universal dos Comunistas Revolucionários, cuja liderança logo se fraciona. Edita em Londres a *Neue Rheinische Zeitung* [Nova Gazeta Renana], revista de economia política, bem como *Lutas de classe na França* [*Die Klassenkämpfe in Frankreich*]. Morre o filho Guido.	Publica *A guerra dos camponeses na Alemanha* [*Der deutsche Bauernkrieg*]. Em novembro, retorna a Manchester, onde viverá por vinte anos, e às suas atividades na Ermen & Engels; o êxito nos negócios possibilita ajudas financeiras a Marx.
1851	Continua em dificuldades, mas, graças ao êxito dos negócios de Engels em Manchester, conta com ajuda financeira. Dedica-se intensamente aos estudos de economia na biblioteca do Museu Britânico. Aceita o convite de trabalho do *New York Daily Tribune*, mas é Engels	Engels, juntamente com Marx, começa a colaborar com o Movimento Cartista [Chartist Movement]. Estuda língua, história e literatura eslava e russa.

	Karl Marx	**Friedrich Engels**
	quem envia os primeiros textos, intitulados "Contrarrevolução na Alemanha", publicados sob a assinatura de Marx. Hermann Becker publica em Colônia o primeiro e único tomo dos *Ensaios escolhidos de Marx*. Nasce Francisca (28 de março), quinta de seus filhos.	
1852	Envia ao periódico *Die Revolution*, de Nova York, uma série de artigos sobre *O 18 de brumário de Luís Bonaparte* [*Der achtzehnte Brumaire des Louis Bonaparte*]. Sua proposta de dissolução da Liga dos Comunistas é acolhida. A difícil situação financeira é amenizada com o trabalho para o *New York Daily Tribune*. Morre a filha Francisca, nascida um ano antes.	Publica *Revolução e contrarrevolução na Alemanha* [*Revolution und Konterevolution in Deutschland*]. Com Marx, elabora o panfleto *O grande homem do exílio* [*Die grossen Männer des Exils*] e uma obra, hoje desaparecida, chamada *Os grandes homens oficiais da Emigração*; nela, atacam os dirigentes burgueses da emigração em Londres e defendem os revolucionários de 1848-9. Expõem, em cartas e artigos conjuntos, os planos do governo, da polícia e do judiciário prussianos, textos que teriam grande repercussão.
1853	Marx escreve, tanto para o *New York Daily Tribune* quanto para o *People's Paper*, inúmeros artigos sobre temas da época. Sua precária saúde o impede de voltar aos estudos econômicos interrompidos no ano anterior, o que faria somente em 1857. Retoma a correspondência com Lassalle.	Escreve artigos para o *New York Daily Tribune*. Estuda o persa e a história dos países orientais. Publica, com Marx, artigos sobre a Guerra da Crimeia.
1854	Continua colaborando com o *New York Daily Tribune*, dessa vez com artigos sobre a revolução espanhola.	
1855	Começa a escrever para o *Neue Oder Zeitung*, de Breslau, e segue como colaborador do *New York Daily Tribune*. Em 16 de janeiro nasce Eleanor, sua sexta filha, e em 6 de abril morre Edgar, o terceiro.	Escreve uma série de artigos para o periódico *Putman*.
1856	Ganha a vida redigindo artigos para jornais. Discursa sobre o progresso técnico e a revolução proletária em uma festa do *People's Paper*. Estuda a história e a civilização dos povos eslavos. A esposa Jenny recebe uma herança da mãe, o que permite que a família mude para um apartamento mais confortável.	Acompanhado da mulher, Mary Burns, Engels visita a terra natal dela, a Irlanda.
1857	Retoma os estudos sobre economia política, por considerar iminente nova crise econômica europeia. Fica no Museu Britânico das nove da manhã às sete da noite e trabalha madrugada adentro. Só descansa quando adoece e aos	Adoece gravemente em maio. Analisa a situação no Oriente Médio, estuda a questão eslava e aprofunda suas reflexões sobre temas militares. Sua contribuição para a *New American Encyclopaedia* [Nova Enciclopédia

	Karl Marx	**Friedrich Engels**
	domingos, nos passeios com a família em Hampstead. O médico o proíbe de trabalhar à noite. Começa a redigir os manuscritos que viriam a ser conhecidos como *Grundrisse der Kritik der Politischen Ökonomie* [Esboços de uma crítica da economia política], e que servirão de base à obra *Para a crítica da economia política* [*Zur Kritik der Politischen Ökonomie*]. Escreve a célebre *Introdução de 1857*. Continua a colaborar no *New York Daily Tribune*. Escreve artigos sobre Jean-Baptiste Bernadotte, Simón Bolívar, Gebhard Blücher e outros na *New American Encyclopaedia* [Nova Enciclopédia Americana]. Atravessa um novo período de dificuldades financeiras e tem um novo filho, natimorto.	Americana], versando sobre as guerras, faz de Engels um continuador de Von Clausewitz e um precursor de Lenin e Mao Tsé-Tung. Continua trocando cartas com Marx, discorrendo sobre a crise na Europa e nos Estados Unidos.
1858	O *New York Daily Tribune* deixa de publicar alguns de seus artigos. Marx dedica-se à leitura de *Ciência da lógica* [*Wissenschaft der Logik*] de Hegel. Agravam-se os problemas de saúde e a penúria.	Engels dedica-se ao estudo das ciências naturais.
1859	Publica em Berlim *Para a crítica da economia política*. A obra só não fora publicada antes porque não havia dinheiro para postar o original. Marx comentaria: "Seguramente é a primeira vez que alguém escreve sobre o dinheiro com tanta falta dele". O livro, muito esperado, foi um fracasso. Nem seus companheiros mais entusiastas, como Liebknecht e Lassalle, o compreenderam. Escreve mais artigos no *New York Daily Tribune*. Começa a colaborar com o periódico londrino *Das Volk*, contra o grupo de Edgar Bauer. Marx polemiza com Karl Vogt (a quem acusa de ser subsidiado pelo bonapartismo), Blind e Freiligrath.	Faz uma análise, junto com Marx, da teoria revolucionária e suas táticas, publicada em coluna do *Das Volk*. Escreve o artigo "Po und Rhein" [Pó e Reno], em que analisa o bonapartismo e as lutas liberais na Alemanha e na Itália. Enquanto isso, estuda gótico e inglês arcaico. Em dezembro, lê o recém--publicado *A origem das espécies* [*The Origin of Species*], de Darwin.
1860	Vogt começa uma série de calúnias contra Marx, e as querelas chegam aos tribunais de Berlim e Londres. Marx escreve *Herr Vogt* [Senhor Vogt].	Engels vai a Barmen para o sepultamento de seu pai (20 de março). Publica a brochura *Savoia, Nice e o Reno* [*Savoyen, Nizza und der Rhein*], polemizando com Lassalle. Continua escrevendo para vários periódicos, entre eles o *Allgemeine Militar Zeitung*. Contribui com artigos sobre o conflito de secessão nos Estados Unidos no *New York Daily Tribune* e no jornal liberal *Die Presse*.
1861	Enfermo e depauperado, Marx vai à Holanda, onde o tio Lion Philiph concorda em adiantar-lhe uma quantia, por conta da herança de sua mãe. Volta a Berlim e projeta	

	Karl Marx	**Friedrich Engels**
	com Lassalle um novo periódico. Reencontra velhos amigos e visita a mãe em Trier. Não consegue recuperar a nacionalidade prussiana. Regressa a Londres e participa de uma ação em favor da libertação de Blanqui. Retoma seus trabalhos científicos e a colaboração com o *New York Daily Tribune* e o *Die Presse* de Viena.	
1862	Trabalha o ano inteiro em sua obra científica e encontra-se várias vezes com Lassalle para discutirem seus projetos. Em suas cartas a Engels, desenvolve uma crítica à teoria ricardiana sobre a renda da terra. O *New York Daily Tribune*, justificando-se com a situação econômica interna norte-americana, dispensa os serviços de Marx, o que reduz ainda mais seus rendimentos. Viaja à Holanda e a Trier, e novas solicitações ao tio e à mãe são negadas. De volta a Londres, tenta um cargo de escrevente da ferrovia, mas é reprovado por causa da caligrafia.	
1863	Marx continua seus estudos no Museu Britânico e se dedica também à matemática. Começa a redação definitiva de *O capital* [*Das Kapital*] e participa de ações pela independência da Polônia. Morre sua mãe (novembro), deixando-lhe algum dinheiro como herança.	Morre, em Manchester, Mary Burns, companheira de Engels (6 de janeiro). Ele permaneceria morando com a cunhada Lizzie. Esboça, mas não conclui, um texto sobre rebeliões camponesas.
1864	Malgrado a saúde, continua a trabalhar em sua obra científica. É convidado a substituir Lassalle (morto em duelo) na Associação Geral dos Operários Alemães. O cargo, entretanto, é ocupado por Becker. Apresenta o projeto e o estatuto de uma Associação Internacional dos Trabalhadores, durante encontro internacional no Saint Martin's Hall de Londres. Marx elabora o Manifesto de Inauguração da Associação Internacional dos Trabalhadores.	Engels participa da fundação da Associação Internacional dos Trabalhadores, depois conhecida como a Primeira Internacional. Torna-se coproprietário da Ermen & Engels. No segundo semestre, contribui, com Marx, para o *Sozial-Demokrat*, periódico da social-democracia alemã que populariza as ideias da Internacional na Alemanha.
1865	Conclui a primeira redação de *O capital* e participa do Conselho Central da Internacional (setembro), em Londres. Marx escreve *Salário, preço e lucro* [*Lohn, Preis und Profit*]. Publica no *Sozial-Demokrat* uma biografia de Proudhon, morto recentemente. Conhece o socialista francês Paul Lafargue, seu futuro genro.	Recebe Marx em Manchester. Ambos rompem com Schweitzer, diretor do *Sozial-Demokrat*, por sua orientação lassalliana. Suas conversas sobre o movimento da classe trabalhadora na Alemanha resultam em artigo para a imprensa. Engels publica *A questão militar na Prússia e o Partido Operário Alemão* [*Die preussische Militärfrage und die deutsche Arbeiterpartei*].

	Karl Marx	**Friedrich Engels**
1866	Apesar dos intermináveis problemas financeiros e de saúde, Marx conclui a redação do primeiro livro de *O capital*. Prepara a pauta do primeiro Congresso da Internacional e as teses do Conselho Central. Pronuncia discurso sobre a situação na Polônia.	Escreve a Marx sobre os trabalhadores emigrados da Alemanha e pede a intervenção do Conselho Geral da Internacional.
1867	O editor Otto Meissner publica, em Hamburgo, o primeiro volume de *O capital*. Os problemas de Marx o impedem de prosseguir no projeto. Redige instruções para Wilhelm Liebknecht, recém-ingressado na Dieta prussiana como representante social-democrata.	Engels estreita relações com os revolucionários alemães, especialmente Liebknecht e Bebel. Envia carta de congratulações a Marx pela publicação do primeiro volume de *O capital*. Estuda as novas descobertas da química e escreve artigos e matérias sobre *O capital*, com fins de divulgação.
1868	Piora o estado de saúde de Marx, e Engels continua ajudando-o financeiramente. Marx elabora estudos sobre as formas primitivas de propriedade comunal, em especial sobre o *mir* russo. Corresponde-se com o russo Danielson e lê Dühring. Bakunin se declara discípulo de Marx e funda a Aliança Internacional da Social-Democracia. Casamento da filha Laura com Lafargue.	Engels elabora uma sinopse do primeiro volume de *O capital*.
1869	Liebknecht e Bebel fundam o Partido Operário Social-Democrata alemão, de linha marxista. Marx, fugindo das polícias da Europa continental, passa a viver em Londres, com a família, na mais absoluta miséria. Continua os trabalhos para o segundo livro de *O capital*. Vai a Paris sob nome falso, onde permanece algum tempo na casa de Laura e Lafargue. Mais tarde, acompanhado da filha Jenny, visita Kugelmann em Hannover. Estuda russo e a história da Irlanda. Corresponde-se com De Paepe sobre o proudhonismo e concede uma entrevista ao sindicalista Haman sobre a importância da organização dos trabalhadores.	Em Manchester, dissolve a empresa Ermen & Engels, que havia assumido após a morte do pai. Com um soldo anual de 350 libras, auxilia Marx e sua família; com ele, mantém intensa correspondência. Começa a contribuir com o *Volksstaat*, o órgão de imprensa do Partido Social-Democrata alemão. Escreve uma pequena biografia de Marx, publicada no *Die Zukunft* (julho). Lançada a primeira edição russa do *Manifesto Comunista*. Em setembro, acompanhado de Lizzie, Marx e Eleanor, visita a Irlanda.
1870	Continua interessado na situação russa e em seu movimento revolucionário. Em Genebra instala-se uma seção russa da Internacional, na qual se acentua a oposição entre Bakunin e Marx, que redige e distribui uma circular confidencial sobre as atividades dos bakunistas e sua aliança. Redige o primeiro comunicado da Internacional sobre a guerra franco--prussiana e exerce, a partir do Conselho	Engels escreve *História da Irlanda* [*Die Geschichte Irlands*]. Começa a colaborar com o periódico inglês *Pall Mall Gazette*, discorrendo sobre a guerra franco-prussiana. Deixa Manchester em setembro, acompanhado de Lizzie, e instala-se em Londres para promover a causa comunista. Lá continua escrevendo para o *Pall Mall Gazette*, dessa vez sobre o desenvolvimento

	Karl Marx	**Friedrich Engels**
	Central, uma grande atividade em favor da República francesa. Por meio de Serrailler, envia instruções para os membros da Internacional presos em Paris. A filha Jenny colabora com Marx em artigos para *A Marselhesa* sobre a repressão dos irlandeses por policiais britânicos.	das oposições. É eleito por unanimidade para o Conselho Geral da Primeira Internacional. O contato com o mundo do trabalho permitiu a Engels analisar, em profundidade, as formas de desenvolvimento do modo de produção capitalista. Suas conclusões seriam utilizadas por Marx em *O capital*.
1871	Atua na Internacional em prol da Comuna de Paris. Instrui Frankel e Varlin e redige o folheto *Der Bürgerkrieg in Frankreich* [A guerra civil na França]. É violentamente atacado pela imprensa conservadora. Em setembro, durante a Internacional em Londres, é reeleito secretário da seção russa. Revisa o primeiro volume de *O capital* para a segunda edição alemã.	Prossegue suas atividades no Conselho Geral e atua junto à Comuna de Paris, que instaura um governo operário na capital francesa entre 26 de março e 28 de maio. Participa com Marx da Conferência de Londres da Internacional.
1872	Acerta a primeira edição francesa de *O capital* e recebe exemplares da primeira edição russa, lançada em 27 de março. Participa dos preparativos do V Congresso da Internacional em Haia, quando se decide a transferência do Conselho Geral da organização para Nova York. Jenny, a filha mais velha, casa-se com o socialista Charles Longuet.	Redige com Marx uma circular confidencial sobre supostos conflitos internos da Internacional, envolvendo bakunistas na Suíça, intitulado *As pretensas cisões na Internacional* [*Die angeblichen Spaltungen in der Internationale*]. Ambos intervêm contra o lassalianismo na social-democracia alemã e escrevem um prefácio para a nova edição alemã do *Manifesto Comunista*. Engels participa do Congresso da Associação Internacional dos Trabalhadores.
1873	Impressa a segunda edição de *O capital* em Hamburgo. Marx envia exemplares a Darwin e Spencer. Por ordens de seu médico, é proibido de realizar qualquer tipo de trabalho.	Com Marx, escreve para periódicos italianos uma série de artigos sobre as teorias anarquistas e o movimento das classes trabalhadoras.
1874	Negada a Marx a cidadania inglesa, "por não ter sido fiel ao rei". Com a filha Eleanor, viaja a Karlsbad para tratar da saúde numa estação de águas.	Prepara a terceira edição de *A guerra dos camponeses alemães*.
1875	Continua seus estudos sobre a Rússia. Redige observações ao Programa de Gotha, da social-democracia alemã.	Por iniciativa de Engels, é publicada *Crítica do Programa de Gotha* [*Kritik des Gothaer Programms*], de Marx.
1876	Continua o estudo sobre as formas primitivas de propriedade na Rússia. Volta com Eleanor a Karlsbad para tratamento.	Elabora escritos contra Dühring, discorrendo sobre a teoria marxista, publicados inicialmente no *Vorwärts!* e transformados em livro posteriormente.
1877	Marx participa de campanha na imprensa contra a política de Gladstone em relação à Rússia e trabalha no segundo volume de *O capital*. Acometido novamente de insônias e transtornos nervosos, viaja com a esposa e a filha Eleanor para descansar em Neuenahr e na Floresta Negra.	Conta com a colaboração de Marx na redação final do *Anti-Dühring* [*Herrn Eugen Dühring's Umwälzung der Wissenschaft*]. O amigo colabora com o capítulo 10 da parte 2 ("Da história crítica"), discorrendo sobre a economia política.

	Karl Marx	**Friedrich Engels**
1878	Paralelamente ao segundo volume de *O capital*, Marx trabalha na investigação sobre a comuna rural russa, complementada com estudos de geologia. Dedica-se também à *Questão do Oriente* e participa de campanha contra Bismarck e Lothar Bücher.	Publica o *Anti-Dühring* e, atendendo a pedido de Wolhelm Bracke feito um ano antes, publica pequena biografia de Marx, intitulada *Karl Marx*. Morre Lizzie.
1879	Marx trabalha nos volumes II e III de *O capital*.	
1880	Elabora um projeto de pesquisa a ser executado pelo Partido Operário francês. Torna-se amigo de Hyndman. Ataca o oportunismo do periódico *Sozial-Demokrat* alemão, dirigido por Liebknecht. Escreve as *Randglossen zu Adolph Wagners Lehrbuch der politischen Ökonomie* [Glosas marginais ao tratado de economia política de Adolph Wagner]. Bebel, Bernstein e Singer visitam Marx em Londres.	Engels lança uma edição especial de três capítulos do *Anti-Dühring*, sob o título *Socialismo utópico e científico* [*Die Entwicklung des Socialismus Von der Utopie zur Wissenschaft*]. Marx escreve o prefácio do livro. Engels estabelece relações com Kautsky e conhece Bernstein.
1881	Prossegue os contatos com os grupos revolucionários russos e mantém correspondência com Zasulitch, Danielson e Nieuwenhuis. Recebe a visita de Kautsky. Jenny, sua esposa, adoece. O casal vai a Argenteuil visitar a filha Jenny e Longuet. Morre Jenny Marx.	Enquanto prossegue em suas atividades políticas, estuda a história da Alemanha e prepara *Labor Standard*, um diário dos sindicatos ingleses. Escreve um obituário pela morte de Jenny Marx (8 de dezembro).
1882	Continua as leituras sobre os problemas agrários da Rússia. Acometido de pleurisia, visita a filha Jenny em Argenteuil. Por prescrição médica, viaja pelo Mediterrâneo e pela Suíça. Lê sobre física e matemática.	Redige com Marx um novo prefácio para a edição russa do *Manifesto Comunista*.
1883	A filha Jenny morre em Paris (janeiro). Deprimido e muito enfermo, com problemas respiratórios, Marx morre em Londres, em 14 de março. É sepultado no Cemitério de Highgate.	Começa a esboçar *A dialética da natureza* [*Dialektik der Natur*], publicada postumamente em 1927. Escreve outro obituário, dessa vez para a filha de Marx, Jenny. No sepultamento de Marx, profere o que ficaria conhecido como *Discurso diante da sepultura de Marx* [*Das Begräbnis von Karl Marx*]. Após a morte do amigo, publica uma edição inglesa do primeiro volume de *O capital*; imediatamente depois, prefacia a terceira edição alemã da obra, e já começa a preparar o segundo volume.
1884		Publica *A origem da família, da propriedade privada e do Estado* [*Der Ursprung der Familie, des Privateigentum und des Staates*].
1885		Editado por Engels, é publicado o segundo volume de *O capital*.

	Karl Marx	**Friedrich Engels**
1887		Karl Kautsky conclui o artigo "O socialismo jurídico", resposta de Engels a um livro do jurista Anton Merger, e o publica sem assinatura na *Neue* Zeit.
1894		Também editado por Engels, é publicado o terceiro volume de *O capital*. O mundo acadêmico ignorou a obra por muito tempo, embora os principais grupos políticos logo tenham começado a estudá-la. Engels publica os textos *Contribuição à história do cristianismo primitivo* [*Zur Geschischte des Urchristentums*] e *A questão camponesa na França e na Alemanha* [*Die Bauernfrage in Frankreich und Deutschland*].
1895		Redige uma nova introdução para *As lutas de classes na França*. Após longo tratamento médico, Engels morre em Londres (5 de agosto). Suas cinzas são lançadas ao mar em Eastbourne. Dedicou-se até o fim da vida a completar e traduzir a obra de Marx, ofuscando a si próprio e a sua obra em favor do que ele considerava a causa mais importante.

COLEÇÃO MARX-ENGELS

O 18 de brumário de Luís Bonaparte
Karl Marx
Tradução de **Nélio Schneider**
Prólogo de **Herbert Marcuse**
Orelha de **Ruy Braga**

Anti-Dühring: a revolução da ciência segundo o senhor Eugen Dühring
Friedrich Engels
Tradução de **Nélio Schneider**
Apresentação de **José Paulo Netto**
Orelha de **Camila Moreno**

O capital: crítica da economia política, Livro I
Karl Marx
Tradução de **Rubens Enderle**
Textos introdutórios de **José Arthur Gianotti, Louis Althusser** e **Jacob Gorender**
Orelha de **Francisco de Oliveira**

O capital: crítica da economia política, Livro II
Karl Marx
Edição de **Friedrich Engels**
Seleção de textos e tradução de **Rubens Enderle**
Prefácio de **Michael Heinrich**
Orelha de **Ricardo Antunes**

O capital: crítica da economia política, Livro III
Karl Marx
Edição de **Friedrich Engels**
Tradução de **Rubens Enderle**
Apresentação de **Marcelo Dias Carcanholo**

Capítulo VI (inédito)
Karl Marx
Tradução de **Ronaldo Vielmi Fortes**
Apresentação de **Ricardo Antunes e Murillo van der Laan**
Orelha de **Leda Paulani**

Crítica da filosofia do direito de Hegel
Karl Marx
Tradução de **Rubens Enderle** e **Leonardo de Deus**
Prefácio de **Alysson Leandro Mascaro**

Crítica do Programa de Gotha
Karl Marx
Tradução de **Rubens Enderle**
Apresentação e quarta capa de **Michael Löwy**
Orelha de **Virgínia Fontes**

Os despossuídos
Karl Marx
Apresentação de **Daniel Bensaïd**
Tradução de **Mariana Echalar** e **Nélio Schneider**
Orelha de **Ricardo Prestes Pazello**

Dialética da Natureza
Friedrich Engels
Tradução de **Nélio Schneider**
Orelha de **Ricardo Musse**

Diferença entre a filosofia da natureza de Demócrito e a de Epicuro
Karl Marx
Tradução de **Nélio Schneider**
Apresentação de **Ana Selva Albinati**

Esboço para uma crítica da economia política
Karl Marx
Organização e apresentação de **José Paulo Netto**
Tradução de **Nélio Schneider et al.**
Orelha de **Felipe Cotrim**

Escritos ficcionais: Escorpião Félix/ Oulanem
Karl Marx
Tradução de **Claudio Cardinali**, **Flávio Aguiar** e **Tercio Redondo**
Orelha de **Carlos Eduardo Ornelas Berriel**

Grundrisse: manuscritos econômicos de 1857-1858
Karl Marx
Tradução de **Mario Duayer** e **Nélio Schneider**, com **Alice Helga Werner** e **Rudiger Hoffman**
Apresentação de **Mario Duayer**
Orelha de **Jorge Grespan**

A guerra civil dos Estados Unidos
Karl Marx e **Friedrich Engels**
Tradução de **Luiz F. Osório** e **Murillo van der Laan**
Prefácio de **Marcelo Badaró Mattos**
Orelha de **Cristiane L. Sabino de Souza**

A guerra civil na França
Karl Marx
Tradução de **Rubens Enderle**
Apresentação de **Antonio Rago Filho**
Orelha de **Lincoln Secco**

A ideologia alemã
Karl Marx e **Friedrich Engels**
Tradução de **Rubens Enderle, Nélio Schneider**
e **Luciano Martorano**
Apresentação de **Emir Sader**
Orelha de **Leandro Konder**

Lutas de classes na Alemanha
Karl Marx e **Friedrich Engels**
Tradução de **Nélio Schneider**
Prefácio de **Michael Löwy**
Orelha de **Ivo Tonet**

As lutas de classes na França de 1848 a 1850
Karl Marx
Tradução de **Nélio Schneider**
Prefácio de **Friedrich Engels**
Orelha de **Caio Navarro de Toledo**

Lutas de classes na Rússia
Textos de **Karl Marx** e **Friedrich Engels**
Organização e introdução de **Michael Löwy**
Tradução de **Nélio Schneider**
Orelha de **Milton Pinheiro**

Manifesto Comunista
Karl Marx e **Friedrich Engels**
Tradução de **Ivana Jinkings** e **Álvaro Pina**
Introdução de **Osvaldo Coggiola**
Orelha de **Michael Löwy**

Manuscritos econômico-filosóficos
Karl Marx
Tradução e apresentação de **Jesus Ranieri**
Orelha de **Michael Löwy**

Miséria da filosofia
Karl Marx
Tradução e apresentação de **José Paulo Netto**
Orelha de **João Antônio de Paula**

A origem da família, da propriedade privada e do Estado
Friedrich Engels
Tradução de **Nélio Schneider**
Prefácio de **Alysson Leandro Mascaro**
Posfácio de **Marília Moschkovich**
Orelha de **Clara Araújo**

A sagrada família
Karl Marx e **Friedrich Engels**
Tradução de **Marcelo Backes**
Orelha de **Leandro Konder**

A situação da classe trabalhadora na Inglaterra
Friedrich Engels
Tradução de **B. A. Schumann**
Apresentação de **José Paulo Netto**
Orelha de **Ricardo Antunes**

Sobre a questão da moradia
Friedrich Engels
Tradução de **Nélio Schneider**
Orelha de **Guilherme Boulos**

Sobre a questão judaica
Karl Marx
Tradução de **Nélio Schneider** e **Wanda Caldeira Brant**
Apresentação e posfácio de **Daniel Bensaïd**
Orelha de **Arlene Clemesha**

Sobre o suicídio
Karl Marx
Tradução de **Rubens Enderle**
e **Francisco Fontanella**
Prefácio de **Michael Löwy**
Orelha de **Rubens Enderle**

O socialismo jurídico
Friedrich Engels e **Karl Kautsky**
Tradução de **Livia Cotrim** e **Márcio Naves**
Prefácio de **Márcio Naves**
Orelha de **Alysson Mascaro**

Últimos escritos econômicos
Karl Marx
Organização de **Sávio Cavalcante**
Hyury Pinheiro
Tradução e notas de **Hyury Pinheiro**
Apresentação de **Sávio Cavalcante**
Orelha de **Edmilson Costa**

Este livro foi composto em Palatino LT 10/12 e Optima 7/9,5 e reimpresso em papel Pólen Natural 80 g/m² pela gráfica Lis, para a Boitempo, em outubro de 2023, com tiragem de 2.000 exemplares.